Helene Solow

620 W. 141 St.

NY 10031

WA 6-4049

6 SOVIET ONE-ACT PLAYS

6 SOVIET ONE-ACT PLAYS

Selected and Edited

by

Ludmilla A. Patrick, M.A.

Lecturer in Russian
University of California

PITMAN PUBLISHING CORPORATION

NEW YORK TORONTO LONDON

Library of Congress catalog card number 63–12505

1–987654321

Printed in the United States of America

PREFACE

This book of six Soviet one-act plays was compiled to promote the student's facility in speaking Russian. The dialogues of the plays present living examples of the language used in everyday conversation in the U.S.S.R.

This collection should be of interest not only from its purely linguistic aspect, but also because the plays present to the reader a portrayal of living characters, with a glimpse of their backgrounds and the forces which have molded their lives and motivate their actions. Thus, in **Ба́бушкина побе́да** the negative character will be familiar to those students of Russian literature who have already been introduced to the types of government clerks who cringe before the authorities, but behave tyrannically towards their subordinates and dependents. On the other hand, the astute little ба́бушка represents a person who has become a part of the new trend and expresses the views of an average Russian citizen of today. The second play, **Встре́ча,** contrasts the misspent and meaningless activities of the main character—wasted in the pursuit of personal gain and pleasure—with the rich and purposeful life of his wife. Though abandoned by her husband during the trying days of Soviet history, she has had the courage and perseverance not only to bring up her child, but to rise above her own humble station—that of an illiterate peasant woman—and to attain a responsible position and a place of honor in Soviet society. **Семна́дцатая Весна́** offers a glimpse of the recent war-ravaged past and what the war has done with the lives of many Russian women. On the other hand, it holds out hope to the post-war youth who have a chance to build a happy life for themselves, and at the same time to be useful citizens of their land. In **Черёмуха в Цвету́** the ideas and ideals of Soviet youth are revealed in the course of solving the conflict between duty and personal feelings. A note of warning is sounded in **Слу́чай на Ста́нции** as to what may happen to those citizens who are not fully conscious of their civic duties and are prone to succumb to harmful influences. As the play reaches its climax, the social consciousness of the positive characters in the play is stressed. The last play, **Навстре́чу Жи́зни,** further develops the contrast between the interests and attitudes of the older generation with the ideals and aspirations of Soviet youth.

The text of this reader, accented throughout, is designed for those students who are enrolled in the intermediate Russian courses. The glossary is complete, and the notes treat unusual and idiomatic expressions. Review questions that might lead to more complicated discussions of the literary or social merits of the plays have been deliberately omitted.

It is hoped that this collection will provide the students with instructive and enjoyable reading and will stimulate their interest in the Russian language.

Ludmilla A. Patrick

CONTENTS

СОДЕРЖАНИЕ

Ба́бушкина Побе́да

Ба́бушкина Побе́да[1]

Пье́са В. А́рдова

Де́йствующие Ли́ца

Заве́дующий — в своём кабине́те
Стару́шка — посети́тельница

Канцеля́рский стол. На нём —— черни́льница, пресс-папье́, телефо́н, бума́ги и па́пки. На сту́ле, стоя́щем у стола́, никого́ нет.

[Вхо́дит стару́шка.]

Стару́шка. Ну вот, не́ту. Не́ту его́. Неуже́ли же опя́ть зря я е́здила? . . . Го́споди, твоя́ во́ля. . . . [Сади́тся на стул, поверну́в его́ к столу́.] И за что я э́ти му́ки принима́ю? . . . Че́рез весь го́род два́дцать три остано́вки трамва́ем е́зжу за свое́й кро́вной пе́нсией. . . . Была́ у меня́ после́дняя наде́жда на э́того заве́дующего, а его́ и не́тути во́все. . . . С а́нгелом вас,[2] Да́рья Тимофе́евна:[3] поезжа́йте обра́тно! . . . Отдышу́сь хоть немно́жко вот тут . . . и́ли ра́зве Ва́се позвони́ть, сы́ну? . . . [Набира́ет но́мер и говори́т в тру́бку.] Э́то горсове́т? . . . Я говорю́. Горсове́т э́то? Да́йте мне пла́новый отде́л. Ага́. Спаси́бо, ми́лая. . . . Э́то пла́новый отде́л отвеча́ет? . . . Ну, хорошо́, тогда́ позови́те мне к телефо́ну плановика́ Серге́ева, Ва́сю . . . то есть Васи́лия Спиридо́новича. . . . Что? . . . А я прошу́ покли́кать к телефо́ну сыно́чка моего́ Ва́сю. . . . Васи́лия Спиридо́новича. . . . Кто он есть? Так я же говорю́: сыно́к он мне.[4] Сын. Понима́ете? . . . Фами́лия? . . . Фами́лия его́ Серге́ев. . . . А я так и говори́ла: плановика́ Серге́ева. . . . Да. . . . Спаси́бо. [Па́уза.] До чего́ тру́дно по телефо́ну говори́ть —— пря́мо беда́. Ни я их не пойму́, ни они́ —— меня́.

[в тру́бку.] Кто говори́т? Ва́ся? Я говорю́: Ва́ся? Васи́лий Спиридо́нович? Э́то —— я . . . Ну да, я. Мама́ша говори́т. Ва́ся! Ну, прие́хала я сюда́, и опя́ть выхо́дит: с а́нгелом. . . . С каки́м а́нгелом? А что, ты не зна́ешь ——

э́то така́я погово́рка у меня́. . . . А к чему́ она́? А к тому́, что заве́дующего нет. . . . А кто его́ зна́ет. . . . Что? . . . Дожда́ться? Ла́дно уж, дожду́сь. . . . Ла́дно . . . Хорошо́ . . . Хорошо́ . . Хорошо́ . . . Ступа́й себе́.[5] Ва́ся, ве́чером забеги́ ко мне. . . . Ну, ла́дно. . . . Ну, хорошо́ . . . Хорошо́ . . . Хорошо́. . . .

[Пока́ стару́шка говори́т э́ти многочи́сленные ''ла́дно'' и ''хорошо́'', вхо́дит заве́дующий.]

Заве́дующий. Това́рищ, потруди́тесь не занима́ть служе́бный телефо́н.

Стару́шка. [Не ви́дя его́.] Хорошо́ . . Ла́дно . . . Ла́дно . . . Хорошо́. . . .

Заве́дующий. Това́рищ, я вам говорю́. [Кладёт па́лец на рыча́г и обрыва́ет связь.] Телефо́н для ли́чных перегово́ров — при вхо́де.

Стару́шка. Ой, ника́к пришёл. . . . [Опусти́ла тру́бку.]

Заве́дующий. И пото́м, вы за́няли моё ме́сто. Для посети́телей есть сту́лья в приёмной.

Стару́шка. [Встаёт.] Винова́та. Извиня́юсь. Извиня́юсь. Прости́те.

Заве́дующий. [Сади́тся на стул.] Что вам, вообще́, уго́дно?

Стару́шка. [В сто́рону.] Вот тебе́ и с а́нгелом. . . . Тепе́рь он мне пропи́шет. . . .[6]

Заве́дующий. Я вас спра́шиваю, вы по како́му вопро́су?

Стару́шка. Насчёт пе́нсии я.

Заве́дующий. Насчёт пе́нсии — напра́во к око́шку.

Стару́шка. Была́, голу́бчик. Не даю́т.

Заве́дующий. Пра́вильно не даю́т: сего́дня невыплатно́й день.

Стару́шка. И в выплатно́й день ходи́ла: не даю́т.

Заве́дующий. Зна́чит, не полага́ется.[7]

[Телефо́нный звоно́к.]

Стару́шка. Как же не полага́ется?

Заве́дующий. Подожди́те! [Берёт тру́бку.] Да, я . . . Да . . . Да . . . Ага́ . . . Аа . . . Ах, да . . . Да . . . Ага́ . . . Да . . . Нет . . . Да . . . Да . . . Ну, есть . . Есть . . . Есть . . . Ну, есть . . . Есть . . . [Кладёт тру́бку.]

Стару́шка. Да вы сде́лайте ми́лость, вы́слушайте меня́.

Заве́дующий. Не могу́: день неприёмный.

Стару́шка. Голу́бчик мой, я че́рез весь го́род тре́тий раз е́зжу: одни́х трамва́йных остано́вок — два́дцать три. Пожале́й стару́ху!

Заве́дующий. Не име́ю пра́ва.

Стару́шка. У тебя́[8] небо́сь[9] у самого́ мать есть?

Заве́дующий. Э́то к де́лу не отно́сится.[10]

Стару́шка. Да сде́лай ты ми́лость, вы́слушай меня́. . . . Зна́чит, жила́ я ра́ньше у до́чери, у Мари́и, в ва́шем райо́нс. . . .

Заве́дующий. Мне э́то не интере́сно.

Стару́шка. А ты слу́шай. И пе́нсию, ста́ло быть, получа́ла я здесь — в ва́шем райо́не. А тут, ста́ло быть, возьми́ и заяви́сь[11] к Мари́и. . . .

[Телефо́нный звоно́к.]

Заве́дующий. [Берёт тру́бку.] Да . . . Да . . . Я . . . Да . . . Да . . . Ага́ . . . Да? . . Нет . . . Да . . . Да . . . Ага . . . Нет . . . Да . . . Нет . . . Нет . . . Да . . . Ну, ла́дно, ну, есть . . . Есть . . . Есть . . . Ну, есть. . . . [Кладёт тру́бку.]

Стару́шка. Так вот, зна́чит, голу́бчик мой. Ста́ло быть, прожива́ю я у до́чери у мое́й, Мари́и — в ва́шем райо́не. . . . Да ты меня́ не слу́шаешь, я гляжу́!

Заве́дующий. [Перебира́я бума́ги.] И не бу́ду слу́шать: день сего́дня неприёмный. Вам я́сно?

Стару́шка. Дорого́й мой, ведь я уж тебе́ бо́льше полови́ны де́ла рассказа́ла. Дослу́шай ты меня́, ува́жь.[12] . . . Ведь тебе́ же бу́дет ху́же, е́сли в приёмный день опя́ть начну́ снача́ла . . . Так. Ну, зна́чит, заду́мала я от Мари́и. . . .

[Телефо́нный звоно́к.]

Заве́дующий. [Берёт тру́бку.] Подожди́те! В тру́бку. Да . . . Я . . . Что? . . . Да . . . Ага́ . . . Ну . . . Да . . . Ага́! . . . Нет! . . . Да!!! Хорошо́ . . . Да . . . Ну, есть. [Кладёт тру́бку.]

Стару́шка. Так вот, зна́чит, ба́тюшка: перее́хала я от Мари́и к Кла́вдии — то́же моя́ до́чка, но живёт в друго́м райо́не.

Заве́дующий. Вы — опя́ть?

Стару́шка. Не опя́ть, а ещё: не ко́нчила ведь я. Да. . . .

Заве́дующий. Меня́ всё э́то не каса́ется.[13]

Стару́шка. А меня́ косну́лось. И вот уже́ тре́тий ме́сяц всё хлопочу́, что́бы пе́нсию мою́ перевести́ в тот райо́н, где Кла́вдия живёт, — в Красногварде́йский.

Заве́дующий. Всё?

Стару́шка. Нет, не всё. Сотру́днички мне всё обеща́ют, а не перево́дят.

Заве́дующий. Зна́чит, нельзя́.

Стару́шка. О́чень вас прошу́!

Заве́дующий. Ма́ло ли что.[14]

Стару́шка. Мне ведь пря́мо заре́з.

Заве́дующий. Тем бо́лее.

Стару́шка. И здоро́вье у меня́ не тако́е. . . .

Заве́дующий. Ма́ло ли что!

Стару́шка. А пе́нсия застря́ла в ва́шем райо́не.

Заве́дующий. Тем бо́лее.

Стару́шка. Да что э́то ты зала́дил, как попуга́й: "тем бо́лее", да "ма́ло ли что"!

Заве́дующий. Ма́ло ли. . . . То есть — э́то не ва́ше де́ло.[15]

Стару́шка. Нет, позво́льте, моя́ пе́нсия — моё де́ло! Вот мне и Ва́ся говори́т — сын мой, он в горсове́те рабо́тает: обя́заны, говори́т, перевести́ в друго́й райо́н; поговори́, говори́т, с заве́дующим.

Заве́дующий. Где ваш сын рабо́тает?

Стару́шка. В горсове́те.

Заве́дующий. Как фами́лия?[16]

Стару́шка. Серге́ев?

Заве́дующий. Что? . . . Серге́ев?! Председа́тель горсове́та!

Стару́шка. [В сто́рону.] Сказа́ть ему́ пра́вду? Что, мол, Ва́ся мой — планови́к? . . . и́ли уж взять грех на́ душу, промолча́ть?

Заве́дующий. [Встал, подаёт стул стару́шке.] Так ваш сыно́к — това́рищ Серге́ев? Сади́тесь, пожа́луйста.

Стару́шка. [Сади́тся на стул.] А вы не зна́ли?

Заве́дующий. [Сгиба́ясь.] Зззз. . . . Коне́чно, я име́л

све́дения, но сто́лько, зна́ете, забо́т. . . . Так в чём состои́т ва́ше де́льце?

Стару́шка. Я же говорю́: переведи́те вы мою́ пе́нсию в Красногварде́йский райо́н, где Кла́вдия моя́ живёт.

Заве́дующий. Охо́тно! Э́то — таки́е пустяки́ для нас.

Стару́шка. Ви́дишь? Тепе́рь уж — пустяки́.

Заве́дующий. Сыно́к ваш, то-есть това́рищ Серге́ев, он, наде́юсь, в до́бром здра́вии?[17]

Стару́шка. Что ему́ де́лается![18]

Заве́дующий. В про́шлом году́ посчастли́вилось мне отдыха́ть вме́сте с ва́шим сы́ном в Со́чи. . . .

Стару́шка. Вот что, голу́бчик, запиши́ ты а́дрес до́чери мое́й — Кла́вдии.

Заве́дующий. [Берёт перо́.] Слу́шаю вас, това́рищ Серге́ева. . . .

Стару́шка. Семёновская у́лица, дом семь, кварти́ра четы́рнадцать.

Заве́дующий. Запи́сано. Переведём. Не изво́льте беспоко́иться.[19]

Стару́шка. Поскоре́й бы, а?

Заве́дующий. За́втра же отпра́вим. А хоти́те так, това́рищ Серге́ева, — прости́те: не по́мню ва́шего и́мени-о́тчества. . . .

Стару́шка. Да́рья Тимофе́евна.

Заве́дующий. Да́рья Тимофе́евна, не уго́дно ли вам[20] бу́дет так: что́бы оно́ вы́шло поскоре́е, я вам сию́ мину́ту отда́м на́ руки ва́шу ка́рточку плюс препроводи́тельное письмо́ И вы са́ми отдади́те в Красногварде́йском райо́не.

Стару́шка. Дава́й!

Заве́дующий. Сейча́с несу́.

Стару́шка. Неси́.

Заве́дующий. Бегу́! [Убега́ет.]

Стару́шка. Беги́. [Она́ одна́ на сце́не.] С а́нгелом вас, Да́рья Тимофе́евна. Смотри́, как ли́хо всё обора́чивается. . . . То́лько и разозли́тся же э́тот голу́бчик, когда́ узна́ет, что вме́сто мама́ши председа́теля он ублаготвори́л мать просто́го слу́жащего. На́до мне поскоре́е отсю́да вы́браться.

[Сади́тся на стул заве́дующего.]

[Вбега́ет заве́дующий. В рука́х у него́ бума́га.]

Заве́дующий. Вот, почте́ннейшая Да́рья Тимофе́евна, ва́ша ли́чная пенсио́нная ка́рточка, а вот — письмо́ при ней.

Стару́шка. [Берёт и пря́чет бума́ги.] Спаси́бо. И что э́то вы, ей-богу, утружда́етесь: день-то ны́нче — неприёмный. . . .

Заве́дующий. Ну что вы!

Стару́шка. . . . невыплатно́й.

Заве́дующий. О чём тут говори́ть!

Стару́шка. Ну, спаси́бо!

Заве́дующий. Да́рья Тимофе́евна, у меня́ к вам бу́дет ма́ленькая про́сьба. . . .

Стару́шка. Э́то — кака́я? Стул освободи́ть? [Встаёт.]

Заве́дующий. [Уса́живает её.] Что вы! Что вы! Сиди́те себе́,[21] сде́лайте ми́лость.

Стару́шка. Так о чём же вы?

Заве́дующий. Да́рья Тимофе́евна, голу́бушка, о́чень вас прошу́!

Стару́шка. И не проси́те. [Встаёт и идёт к вы́ходу.]

Заве́дующий. Эх! Приве́т хоть переда́йте Константи́ну Петро́вичу.

Стару́шка. [У двере́й.] Кому́?

Заве́дующий. Сы́ну ва́шему — Константи́ну Петро́вичу Серге́еву.

Стару́шка. Сы́на моего́ зову́т Васи́лий Спиридо́нович.[22]

Заве́дующий. Позво́льте, как же. . . Наш председа́тель, наско́лько я зна́ю, — Константи́н Петро́вич.

Стару́шка. А мой — Васи́лий Спиридо́нович.

Заве́дующий. Позво́льте. . . . Ваш сыно́к где рабо́тает?

Стару́шка. Я же тебе́ говори́ла: в горсове́те.

Заве́дующий. Председа́телем?

Стару́шка. Поднима́й, брат, вы́ше: планови́к он. В планово́м отде́ле.

Заве́дующий. Что?! Так как же вы сме́ли?!

Стару́шка. Что я сме́ла?

Заве́дующий. Утвержда́ть, что ваш како́й-то там планови́к возглавля́ет горсове́т?!

Стару́шка. Вот — с а́нгелом! А когда́ я э́то говори́ла? Э́то ты себе́ сам всё вообрази́л.

Заве́дующий. Чёрт зна́ет что![23] Да́йте сюда́ ва́шу ка́рточку!

Стару́шка. Заче́м же? [Идёт к вы́ходу.]

Заве́дующий. Да́йте, да́йте!!

Стару́шка. [Возвраща́ется.] Заче́м же? Ка́рточку мою ты мне сам о́тдал. И пе́нсия мне полага́ется — не ты мне её определи́л. А что ты из подхали́мства поторопи́лся принести́ ка́рточку, так опя́ть хорошо́: тре́тий ме́сяц я к тебе́ е́зжу. И напосле́док скажу́ тебе́ вот ещё что: недо́лго тебе́ здесь сиде́ть — на э́том кре́сле. Наро́д тебе́ дове́рил де́ло делика́тное, благоро́дное де́ло: старика́м помога́ть жить. А ты засуши́лся, окостене́л, то́лько страх оди́н чу́вствуешь. И хоть мой сын и не председа́тель, а я тебя́ отсю́да уво́лю. Э́то я тебе́ о́то всего́ наро́да говорю́.

[Зри́телям.] И они́ тебе́ все э́то же ска́жут — и тебе́ и тем, кто на тебя́ похо́жий сиди́т ещё за пи́сьменными стола́ми в на́ших учрежде́ниях. Всех мы вас поразго́ним! Так и знай! [Ухо́дит.]

Заве́дующий. [Бежи́т за ней.] Да́рья Тимофе́евна, вы меня́ не по́няли . . . не по́няли. . . .

Стару́шка. [из-за кули́с.] Поняла́ я тебя́ наскво́зь!

Занавес

Notes

1. See: Appendix, p. 101.
2. С áнгелом: поздравля́ю вас с áнгелом. (С Ангелом.) This is ordinarily used on a nameday: (I) congratulate you upon (with) the day of your patron saint. In this case it is an expression of surprise or irritation, used by the old woman: A fine how do you do!
3. Дáрья Тимофéевна. The Russians have three names: their Christian name (и́мя); their patronymic (óтчество); and their surname (фами́лия). The patronymic is formed by adding to the father's и́мя the termination -ович or -евич for a man, and -овна or -евна for a woman.

   The Russians address one another by their Christian names together with their patronymics, unless they are strangers (when the surname is used) or very intimate friends or relatives, when the Christian name (often a diminutive or a pet name) is used.
4. сынóк он мне: i.e. он мой сын: He is my son. The word son is in the diminutive.
5. Ступáй себé: go ahead (wherever you were going; whatever you were doing). The reflexive pronoun себя́ has no nominative, and it can be applied to any of the three persons.
6. Тепéрь он мне пропи́шет: He'll give it to me now.
7. Знáчит, не полагáется: It means, one is not supposed (to do) to have. . . .
8. у тебя́: you have. The verb "to have" is usually expressed by a paraphrase (у меня, у тебя, etc.) and not by the verb имéть.
9. небóсь: surely (folk speech).
10. Э́то к дéлу не отнóсится: This does not concern you (the matter).
11. возьми́ да заяви́сь: Suddenly there appears . . . (I appear . . .). This is an idiomatic use of the imperative which is common in narratives. The imperative is in the Perfective aspect, meaning a sudden (abrupt) action.
12. увáжь (увáжить, P.): imperative (second p. singular), meaning: do me a favor; give me a pleasure (Folk speech).
13. Меня́ всё э́то не касáется: All this does not concern me; I have nothing to do with it.
14. Мáло ли что: What (more) else do you want; also: What of it.
15. Э́то не вáше дéло: none of your business.
16. Как вáша фами́лия? What's your name?
17. Он (онá) в дóбром здрáвии: He (she) is in good health (is well).
18. Что емý дéлается: He is all right. (Nothing bad has happened to him.)
19. Не извóльте беспокóиться: Please don't worry; Don't trouble yourself.
20. Не угóдно ли вам: Wouldn't you like. . . .
21. Сиди́те себé: Do sit! Idiomatic use of себя́ (dat.) for emphasis.
22. Сы́на моегó зовýт Васи́лий Спиридóнович: My son's name is Basil son of Spiridon. See note 3, above.
23. Чёрт (чорт) знáет что!: It's disgusting! Devil take it!

Вопро́сы

1. Куда́ вхо́дит стару́шка?
2. Заче́м она́ пришла́?
3. Куда́ она́ сади́тся?
4. Кого́ она́ хоте́ла ви́деть?
5. Нашла́ ли она́ его́?
6. Кому́ она́ хо́чет позвони́ть по телефо́ну?
7. Что она́ де́лает?
8. Куда́ она́ позвони́ла?
9. Кого́ она́ про́сит к телефо́ну?
10. Как его́ зову́т?
11. Понима́ет ли её сын?
12. Что она́ ему́ расска́зывает?
13. Кто пришёл в канцеля́рию?
14. Что он сказа́л стару́шке?
15. Что он сде́лал?
16. Чьё ме́сто она́ заняла́?
17. О чём спра́шивает её заве́дующий?
18. Почему́ ей не даю́т пе́нсию?
19. О чём она про́сит заве́дующего?
20. Хо́чет ли он вы́слушать её?
21. За́нят ли он?
22. Ско́лько ме́сяцев стару́шка хлопо́чет о свое́й пе́нсии?
23. О ком она́ говори́ла?
24. Где он рабо́тал?
25. Как фами́лия председа́теля горсове́та?
26. Как заговори́л с ней заве́дующий? Почему́?
27. Что он обеща́л ей?
28. Что он ей принёс?
29. Почему́ стару́шка ду́мает, что он разозли́тся?
30. Кака́я про́сьба у заве́дующего? Что сказа́ла стару́шка пе́ред ухо́дом?

Встре́ча

Встре́ча

Пье́са М. Усти́нова

Де́йствующие ли́ца

Ту́ркин Тере́нтий Макси́мович
Татья́на Серге́евна
Пе́тя — шофёр легково́й маши́ны
Ва́ся — шофёр грузово́й маши́ны
Продаве́ц в кио́ске
Пассажи́ры в о́череди

Жа́ркий ле́тний день. Часть привокза́льной пло́щади желе́знодоро́жной ста́нции Бо́лотово. В глубине́ кио́ск ''Пи́во-во́ды'', на пере́днем пла́не скаме́йка, за сце́ной слышны́ ''вздо́хи'' парово́за. У кио́ска о́чередь пассажи́ров. Запыха́вшись, вхо́дит Ту́ркин. Оде́т в прекра́сный ле́тний костю́м мо́дного покро́я; шёлковая руба́шка, соло́менная шля́па, в руке́ объёмистый портфе́ль.

Ту́ркин. [Осмотре́вшись, пыта́ется проти́снуться вне о́череди.] Почему́ так ме́дленно? Продаве́ц! Ты чего́ едва́ шевели́шься? Не ква́сом торгу́ешь в ба́не, а пи́вом на вокза́ле! Поря́дка не зна́ешь? Ну́-ка разверни́сь по-настоя́щему![1]

Пе́рвый пассажи́р [допива́я кру́жку]. Зря шуми́те, граждани́н. Ста́ньте в о́чередь —— бо́льше поря́дка бу́дет.

Ту́ркин. А вы не прохлажда́йтесь![2] Не у тёщи в гостя́х.

Второ́й пассажи́р. Граждани́н! Ста́ньте в о́чередь, не меша́йте!

Ту́ркин. [Стано́вится в о́чередь.] Вы после́дний?

Тре́тий пассажи́р. Нет. После́дний вы.

Ту́ркин [вытира́я платко́м пот с лица́]. Ну и жари́ща! Чёрт возьми́, машини́ст — растя́па, останови́л по́езд хвосто́м к кио́ску! Попро́буй с пе́рвых ваго́нов бежа́ть полкиломе́тра.

Тре́тий пассажи́р. При чём тут машини́ст?[3] Мо́жет, кио́ск не на ме́сте.

Продаве́ц. Граждани́н, вам большу́ю?

Тре́тий пассажи́р. Мне воды́ с сиро́пом.

Продаве́ц. Воды́, к сожале́нию, нет.

Тре́тий пассажи́р. Почему́ нет? А что на вы́веске? Ука́зывает руко́й на вы́веску.

Продаве́ц. Так то вы́веска![4] А мы водо́й не торгу́ем.[5] Пе́йте пи́во — э́то лу́чше, уверя́ю вас.

Ту́ркин. Граждани́н, не заде́рживайте!

Тре́тий пассажи́р. Безобра́зие!

Ту́ркин. [Подаёт де́ньги.] Две больши́х! [За́лпом выпива́ет кру́жку, берёт втору́ю.] В э́то вре́мя слы́шится гудо́к парово́за. [Бы́стро допива́ет пи́во и убега́ет.]

[Слы́шно, как тро́нулся по́езд и, набира́я ход,[6] дал проща́льный гудо́к. Сце́на не́которое вре́мя пуста́. Зате́м уны́лый и злой, появля́ется Ту́ркин.]

Ту́ркин. [Подхо́дит к кио́ску.] Продаве́ц! Где ты?

Продаве́ц. [Появля́ется у прила́вка.] Слу́шаю.

Ту́ркин. Две больши́х!

Продаве́ц. А, э́то вы?

Ту́ркин. Ну, я. Хорошо́, что портфе́ль захвати́л.

Продаве́ц. Зна́чит, не успе́ли? Печа́льно!

Ту́ркин. А тебе́ чего́ печа́литься? Бои́шься, пи́ва не хва́тит, е́сли задержу́сь на су́тки?

Продаве́ц. Пи́ва хва́тит. Пе́йте на здоро́вье. [Подаёт кру́жку.]

Ту́ркин. Вот э́то друго́й разгово́р.[7] Настоя́щая забо́та о пассажи́ре. [Пьёт.] Да! Шу́тки — шу́тками,[8] а получи́лось нескла́дно. Как тепе́рь быть?[9] А со́бственно . . . [Осма́тривается.] что э́то за ста́нция?[10]

Продаве́ц. Бо́лотово.

Ту́ркин [удивлённо]. Бо́лотово?!

Продаве́ц. Так то́чно.

Ту́ркин. Позво́ль! Так э́то же моя́ ро́дина!

Продаве́ц. Да? Пло́хо же вы по́мните родны́е места́.

Ту́ркин. Но тут ра́ньше никако́й ста́нции и в поми́не не́ было.[11] Небольшо́й разъе́зд да боло́та круго́м.

Продаве́ц. Хвати́лись![12] Э́то лет два́дцать наза́д бы́ло. Тепе́рь тут кру́пная ста́нция, райо́нный центр, рабо́чий посёлок то́рфоразрабо́ток.

Ту́ркин. Здо́рово! [Допива́ет пи́во.] А пи́во у вас, как ни стра́нно, отли́чное.

Продаве́ц. Почему́ стра́нно?

Ту́ркин. А так . . . вся́кие фо́кусы у ва́шей бра́тии быва́ют.[13] Осо́бенно в места́х, так сказа́ть, с непостоя́нными покупа́телями.

Продаве́ц. Мы таки́ми фо́кусами не занима́емся.

Ту́ркин. Ты не обижа́йся. Зна́ю, что говорю́. Неда́вно рабо́таешь?

Продаве́ц. Поря́дочно. А вы са́ми где слу́жите?

Ту́ркин. Да то́же по торго́вой ча́сти.[14] То́лько масшта́бы не те, дорого́й мой. . . . Хотя́ начина́л то́же с ларька́. [Достаёт коро́бку дороги́х папиро́с.] Прошу́![15]

Продаве́ц. [Заку́ривает и говори́т с иро́нией, кото́рой не замеча́ет немно́го захмеле́вший Ту́ркин.] Поня́тно. Большо́му кораблю́ большо́е и пла́вание.[16]

Ту́ркин. Без торго́вой жи́лки, друг, за на́ше де́ло и браться не́чего. Просиди́шь всю жизнь в ларьке́.[17]

Продаве́ц. Ничего́ не поде́лаешь.[18] Ка́ждый по свои́м спосо́бностям. А вы из како́й дере́вни?

Ту́ркин. С Зале́сья. Слы́шал?

Продаве́ц. Как же, слы́шал. То́лько тепе́рь уже́ не дере́вня Зале́сье, а колхо́з "Побе́да", оди́н из са́мых бога́тых в райо́не. Е́сли б посмотре́ли, мо́жет, и пожале́ли бы, что расста́лись с дере́вней.

Ту́ркин. Не ду́маю. Колхо́з — э́то колхо́з. А го́род — э́то го́род.

Продаве́ц. Кому́ что нра́вится.[19] Коне́чно, колхо́зу ещё далеко́ до го́рода, но вы са́ми ви́дите, ско́лько настро́или на пусто́м ме́сте за два́дцать лет. Да и лю́ди к нам из го́рода е́дут — специали́сты!

Ту́ркин. Ну и что же? Вот и я,[20] к приме́ру, уезжа́л из дере́вни, мо́жно сказа́ть, се́рым мужико́м, а тепе́рь. . . . Диале́ктика жи́зни, дорого́й мой, ничего́ не поде́лаешь . . . всё, так сказа́ть, дви́жется, изменя́ется. . . .

Продаве́ц. А у вас в дере́вне никого́ не оста́лось?

Ту́ркин. Да нет . . . жена́ оста́лась. . . . Сы́на я так и не ви́дел: родила́ без меня́. Пе́рвое вре́мя ещё переписывался, а сейча́с, говоря́ открове́нно, ничего́ о них не зна́ю.

Продаве́ц. Интере́сно. . . . Как же э́то получи́лось? Не сошли́сь хара́ктерами?[21]

Ту́ркин. Не зна́ю, брат, в чём не сошли́сь, а сходи́лись по любви́. . . . В о́бщем, сама́ винова́та: не захоте́ла со мной е́хать. С дере́вней жа́лко бы́ло расста́ться. Поня́тия настоя́щего о жи́зни не име́ла. Вот и получи́лось[22] — в ра́зные сто́роны.

Продаве́ц. Быва́ет.

Ту́ркин. Ну, да и то сказа́ть,[23] — дереве́нская ба́ба, да́льше свое́й дере́вни нос боя́лась показа́ть. Ду́мала, бу́дто одна́ земля́ то́лько и ко́рмит. Да! Тепе́рь, наве́рное, жале́ет о свое́й ду́рости. . . . Ты сам-то зде́шний?

Продаве́ц. Да из ва́ших же мест. Вы меня́ не узнаёте?

Ту́ркин. Что-то не припо́мню.

Продаве́ц. Я вас узна́л, това́рищ Ту́ркин.

Ту́ркин. Да?! Посто́й! . . . Нет, не припо́мню.

Продаве́ц. А ведь вме́сте когда́-то гуля́ли. Та́ня-то, жена́ ва́ша, из на́шей дере́вни.

Ту́ркин. Серёга, гармони́ст?

Продаве́ц. Он са́мый.[24]

Ту́ркин. Вот э́то, брат, встре́ча! . . . Ну ни за что бы не узна́л . . . Так-так, Серёга. . . . А ты что ж здесь? Так сказа́ть, ни в го́роде, ни в дере́вне.

Продаве́ц. Да так . . . по́сле войны́ . . . сложи́лись обстоя́тельства. . . .

Ту́ркин. Ну ничего́! Ларёк, коне́чно, де́ло не широ́кое, а в о́бщем, зна́ешь, пра́вильно! Всё, брат, лу́чше, чем в колхо́зе.

Продаве́ц. Де́ло не в э́том.[25]

Ту́ркин. Ну ла́дно, дава́й-ка по па́рочке со встре́чей.

Продаве́ц. Придётся. [Налива́ет.]

[Чо́каются, пьют.]

Ту́ркин [заме́тно захмеле́в]. Да, Серёга! Давно́ ли, ка́жется, мы ходи́ли по дере́вне и горла́нили пе́сни под гармо́шку? И вот уже́ почти́ старики́! Бы́стро, брат, вре́мя лети́т. Так иногда́ за кру́жкой пи́ва огля́нешься на свою́ жизнь и не поймёшь, хорошо́ ли, пло́хо ли про́жил. Тру́дно, понима́ешь, ито́г всему́ подвести́.

Продаве́ц. Мо́жет, тру́дно потому́, что ито́г плохо́й?

Ту́ркин. Чёрт его́ зна́ет, Серёга. Пока́ не заду́мываешься — бу́дто всё хорошо́. А заду́маешься — тру́дно разобра́ться. Жизнь бо́льно беспоко́йная, не гла́дко ка́тится. Нет-нет, да и тряхнёт на уха́бе.

Продаве́ц. Да, коне́чно, жизнь — де́ло сло́жное.

Ту́ркин. Сло́жное, Серёга! . . . Ну да ничего́. . . .[26] Из любо́го положе́ния мо́жно вы́браться, е́сли голова́ на плеча́х и друзья́ есть. Как говори́тся,[27] "не име́й сто рубле́й, а име́й сто друзе́й". Вот сейча́с, Серёга, я к тако́му дру́гу и е́ду. Реши́л смени́ть пласти́нку жи́зни. Я́сно? Ры́ба и́щет, где глу́бже, а челове́к — где лу́чше.

Продаве́ц. Была́ така́я посло́вица. То́лько и так ведь говоря́т: "От добра́ добра́ не и́щут".[28]

Ту́ркин. Мо́жет и так. Но в на́шем де́ле, сам зна́ешь, заси́живаться на ме́сте не полага́ется. А вообще́ живу́ я, Серёга, непло́хо. Одни́м сло́вом, роско́шно. . . . Дай бог ка́ждому так![29]

Продаве́ц. Да оно́ ви́дно.

Ту́ркин. Вот то-то. . . Ну, а про Та́ню что́-нибудь зна́ешь?

Продаве́ц [укло́нчиво]. Да слы́шно, жива́ здоро́ва. А вы бы прое́хали к ней. Всё-таки жена́, сын. . . .

Ту́ркин. А что! И в са́мом де́ле, не махну́ть ли, раз уж задержа́лся?

Продаве́ц. Махни́те.

Ту́ркин. Интере́сно посмотре́ть, как они́ живу́т. Коне́чно, придётся помо́чь, но э́то для меня́ пустяки́. Ну и на родны́е места́ полюбу́юсь, ста́рых знако́мых повида́ю. А пото́м и себя́ показа́ть на́до, а то ещё поду́мают — не даёт, мол, челове́к о себе́ знать, затёрло где-то в жи́зни. Вот и пуска́й посмо́трят, кем Терёша Ту́ркин стал. [Угоща́ет папиро́сами.] Прошу́!

[Заку́ривают.]

То́лько как туда́ добра́ться? Э́то вёрст три́дцать с га́ком.[30]

Продаве́ц. Со́рок киломе́тров.

Ту́ркин. Вот ви́дишь! Слу́шай, а где бы найти́ хоро́шую лоша́дку да с̣ краси́вой бри́чкой, чтоб, понима́ешь, с ши́ком бы́ло?

Продаве́ц. А заче́м лоша́дка? Туда́ маши́ны хо́дят.

Ту́ркин. Каки́е тут маши́ны по боло́товским доро́гам! Ещё застря́нешь, придётся пешко́м идти́. Нет уж! И пото́м в ку́зове трясти́сь. Прие́дешь, что за вид? Никако́го впечатле́ния. То ли де́ло[31] в рессо́рной бри́чке: пока́чивайся да по сторона́м посма́тривай. Одно́ удово́льствие!

[За сце́ной гудо́к подъезжа́ющей маши́ны.]

Продаве́ц. Маши́на подошла́. Мо́жет, по пути́.

Ту́ркин. Гм . . . Гудо́к соли́дный. [Отхо́дит от кио́ска.] Да́же "Побе́да"! Кака́я-то же́нщина прие́хала, с мужчи́ной на вокза́л пошла́. Е́сли уезжа́ют, с шофёром про́сто договори́ться: полсо́тни в зу́бы[32] — и подбро́сит.

[Вхо́дит Пе́тя.]

Ту́ркин. Слу́шай-ка, молодо́й челове́к, ты не ско́ро освободи́шься?

Пе́тя. Я свобо́ден. [Сади́тся на скаме́йку.]

Ту́ркин. [Сади́тся ря́дом.] Мо́жет, договори́мся. Подбро́сишь до Зале́сья? За рабо́ту заплачу́. [Угоща́ет папиро́сами.] Прошу́!

Пе́тя. Спаси́бо. То́лько что кури́л. А до Зале́сья вы мо́жете дое́хать беспла́тно. Маши́на с Зале́сья, ме́сто свобо́дное.

Ту́ркин. Позво́ль! Как — с Зале́сья? Кто же там име́ет таку́ю маши́ну?

Пе́тя. Как — кто?[33] Колхо́з.

Ту́ркин. Колхо́з?! Ах да . . . колхо́з. . . . Ну коне́чно. . . . Так-так. . . . Да . . . э́то уже́ не то получа́ется.[34]

Пе́тя. Почему́ — не то?

Ту́ркин. Э́то я про своё. Зна́чит, говори́шь, беспла́тно подвезёшь? Тогда́ пойдём хоть пи́вом угощу́.

Пе́тя. Спаси́бо. Никако́го угоще́ния не ну́жно. Вы по како́му де́лу[35] в колхо́з?

Ту́ркин. Почему́ обяза́тельно в колхо́з?

Пе́тя. Не обяза́тельно, коне́чно.

Ту́ркин. Мне ну́жно в дере́вню по ли́чному де́лу. Ты сам-то отку́да?

Пе́тя. Из Зале́сья.

Ту́ркин. А ско́лько тебе́ лет?[36]

Пе́тя. Два́дцать.

Ту́ркин. Два́дцать, говори́шь? Ну, е́сли на крести́нах не́ был, то не по́мню тебя́.

Пе́тя. А вы что . . . то́же из Зале́сья?

Ту́ркин. Когда́-то был из Зале́сья. Да ты меня́ всё равно́ не по́мнишь.

Пе́тя. Мо́жет, слы́шал.

Ту́ркин. Э́то возмо́жно, не спо́рю. Ту́ркин я, Тере́нтий Макси́мович Ту́ркин. Слы́шал?

Пе́тя [глу́хо]. Слы́шал. . . .

Ту́ркин. Ну, а чего́ же ты слы́шал?

Пе́тя. О́чень мно́гое. К сожале́нию, плохо́е. . . .

Ту́ркин. Плохо́е? Интере́сно! Наприме́р?

Пе́тя. Са́ми зна́ете.

Ту́ркин. Да, осужда́ть ле́гче всего́.

Пе́тя. Быва́ет, и осужда́ть нелегко́. . . .

Ту́ркин. Зна́чит, и не на́до. Ка́ждый своё сча́стье сам стро́ит, молодо́й челове́к.

Пе́тя. А вы его́ не стро́или, а иска́ли.

Ту́ркин. Э́то всё равно́.[37] Ва́жно, что нашёл. Ты сам-то чей бу́дешь, тако́й хра́брый?

Пе́тя. А вам э́то не обяза́тельно знать.

Ту́ркин. А ты, ока́зывается, грубия́н. Ра́ньше мы почти́тельно относи́лись к ста́ршим.

Пе́тя. Вероя́тно, ста́ршие заслу́живали.

Ту́ркин. А я, зна́чит, не заслужи́л? Ну что ж,[38] опра́вдываться пе́ред тобо́й не собира́юсь, а вот отцу́ пожа́луюсь.

Пе́тя. Мо́жете жа́ловаться.

Ту́ркин. То́же не бои́шься? Я шучу́, коне́чно. Па́рень ты, ви́дно, неплохо́й и с хара́ктером. А вот на жизнь наи́вно смо́тришь. Э́то пло́хо. Так далеко́ не уйдёшь. . . .

Пе́тя. [Встал.] А в Зале́сье я вас не повезу́.

Ту́ркин [расте́рянно]. Вот тебе́ и раз! . . .[39] Почему́ же?

Пе́тя. Не́чего вам там де́лать.[40] Ухо́дит.

Ту́ркин. Ну и молодёжь пошла́![41] [продавцу́.] Вида́л? [подходя́ к кио́ску.] Нацеди́-ка ещё па́рочку. [Броса́ет де́ньги.] Вот чёртов сын![42] Так всё хорошо́ получа́лось — и вдруг сорвало́сь. Зна́ешь его́? Чей тако́й?

Продаве́ц [уклóнчиво]. Кто его́ зна́ет. Всех не упо́мнишь . . . К скаме́йке подхо́дит Татья́на Серге́евна. Оде́та скро́мно, но со вку́сом.

Татья́на Серге́евна [продавцу́]. Здра́вствуйте, Серге́й Васи́льевич.

Продаве́ц. Приве́тствую, Татья́на Серге́евна. [Татья́на Серге́евна Сади́тся на скаме́йку, развёртывает газе́ту.]

Ту́ркин [растéрянно]. Э́то . . . э́то же Та́ня?!

Продаве́ц. Та́ня.

Ту́ркин. Как же так? Я её совсе́м не тако́й представля́л. [Подхо́дит к скаме́йке, сади́тся на друго́й коне́ц, кашляну́л. Татья́на Серге́евна не обраща́ет на Ту́ркина внима́ния.] Та́ня!

Татья́на Серге́евна. [Посмотре́ла на него́. Газе́та вы́пала из её рук. Ти́хо.] Tере́нтий?!

Ту́ркин. Да, Та́ня! Э́то я, Терёша.

Татья́на Серге́евна. Отку́да ты?

Ту́ркин. Е́ду к тебе́ в го́сти [Подвига́ется бли́же.] При́мешь?

Татья́на Серге́евна. Так неожи́данно . . . Да́же не ве́рится. . . .

Ту́ркин. Не похо́ж на пре́жнего Терёшу?

Татья́на Серге́евна. Да-а. Ма́ло.

Ту́ркин. А я тебя́ сра́зу узна́л. Хотя́, говоря́ открове́нно[43] соверше́нно не тако́й представля́л. Бу́дто и не соста́рилась, всё така́я же. . . .

Татья́на Серге́евна [спра́вившись с волне́нием]. Заче́м же ста́риться ра́ньше вре́мени? Я ведь на во́семь лет моло́же тебя́, да и ты на старика́ не похо́ж.

Ту́ркин. Ста́рят, Та́ня, не го́ды, а жизнь.

Татья́на Серге́евна. Э́то ве́рно. Эх, Терёша, Терёша! Сто́лько лет никаки́х изве́стий. . . . Что я то́лько не переду́мала о тебе́! И вот вдруг встре́тились. . . . Тру́дно пове́рить. . . . Расскажи́, где ты? Что де́лаешь? Как живёшь?

Ту́ркин. Всё сра́зу не расска́жешь. Живу́, Та́ня, как говоря́т, лу́чше всех. Рабо́таю, верне́е — рабо́тал после́днее вре́мя дире́ктором кру́пного рестора́на.

Татья́на Серге́евна. Дире́ктором рестора́на?

Ту́ркин. Что, не ве́ришь?

Татья́на Серге́евна. Нет, почему́ же. Ве́рю . . . Ве́рю, Tере́нтий!

Ту́ркин. То́-то. Не сра́зу, коне́чно, всё э́то де́лалось. А ты? Всё в колхо́зе?

Татья́на Серге́евна. Да, в колхо́зе.

Ту́ркин. Одна́?

Татья́на Серге́евна. Нет, с сы́ном.

Ту́ркин. Слы́шал. Та́ня, Та́ня! Вот посмотре́л я на тебя́ и сно́ва вспо́мнил пре́жнее. Как нехорошо́ всё получи́лось! Та́ня, тру́дно тебе́ бы́ло без меня́?

Татья́на Серге́евна. Тяжело́, коне́чно, но ты напра́сно жале́ешь меня́. Я на судьбу́ не жа́луюсь.

Ту́ркин. Не жа́луешься! . . . Всё така́я же го́рдая.

Татья́на Серге́евна. Де́ло не в го́рдости,[44] Терёша, а в том, что э́то почти́ так.

Ту́ркин. ''Почти́'' . . . Зна́чит, не совсе́м?

Татья́на Серге́евна. Да, коне́чно . . . по твое́й вине́.

Ту́ркин. Вот что, Та́ня. На жизнь на́до смотре́ть про́ще. Мо́жет, я и винова́т, что оста́вил тебя́ тогда́. Но ведь ты сама́ отказа́лась пое́хать. А пото́м, говоря́ открове́нно, мне бы́ло не до тебя́.[45] Да всё э́то де́ло про́шлое. Не бу́дем суди́ть, кто прав, кто винова́т. Зна́ешь что? Вот устро́юсь на но́вое ме́сто и заберу́ тебя́. Надое́ло мне без настоя́щей семьи́ жить, да и тебе́ дово́льно в земле́ копа́ться.[46]

Татья́на Серге́евна [с иро́нией, кото́рую не замеча́ет Ту́ркин]. Но ведь кому́-нибу́дь и в земле́ копа́ться ну́жно, а то директора́м рестора́нов де́лать не́чего бу́дет.

Ту́ркин. Нашла́ о чём беспоко́иться. Хва́тит и без тебя́ в дере́вне наро́ду.[47] Не у всех[48] же таки́е, как я, мужья́ объявля́ются.

Татья́на Серге́евна [с иро́нией]. Не у всех, коне́чно. Слу́чай исключи́тельный.

Ту́ркин. Вот и́менно.[49] Зна́чит, решено́!

Татья́на Серге́евна. [Серьёзно.] О́чень ско́ро и про́сто реша́ешь, Тере́нтий Макси́мович. Захо́чет ли сын призна́ть отца́?

Ту́ркин. Сы́ну два́дцать лет. Ему́ тепе́рь не то́лько оте́ц, но и мать не нужна́. А в о́бщем, призна́ет, не призна́ет, а в го́род, я уве́рен, бу́дет рад перее́хать. Устро́ю его́ там, благодари́ть бу́дет. Не остава́ться же ему́ на всю жизнь колхо́зником.

[Вхо́дит Ва́ся.]

Ва́ся. Татья́на Серге́евна, а я ду́мал, вас не захвачу́. Придётся пройти́ в Се́льхозсна́б, что-то с расчётами на удобре́ние не в поря́дке. Не выпуска́ют маши́ну со скла́да, говоря́т, тащи́ самого́ председа́теля разбира́ться. Я говорю́, ей сейча́с не до вас,[50] она́ в Москву́ е́дет, а они́. . . .

Татья́на Серге́евна. Я́сно. [Ту́ркину.] Подожди́, я ско́ро верну́сь. [Ухо́дит.]

Ва́ся. [Йщет в карма́нах спи́чки.] Граждани́н, у вас прикури́ть не найдётся? Спи́чки где-то потеря́л.

Ту́ркин. [Даёт спи́чки.] Пожа́луйста. Слу́шай, молодо́й челове́к, я что-то не по́нял. Ты́ э́ту же́нщину председа́телем как бу́дто назва́л?

Ва́ся. А почему́ не назва́ть, раз она́ действи́тельно председа́тель.

Ту́ркин. Неуже́ли она́ председа́тель?

Ва́ся. У неё[51] же агрономи́ческое образова́ние. Объединённый колхо́з — така́я махи́на! Ра́зве тут без образова́ния спра́вишься?

Ту́ркин [растéрянно]. Образова́ние?! Ничего́ не понима́ю! . . . Э́то что же, выхо́дит, и "Побе́да" её?

Ва́ся. Не то́лько выхо́дит, а на са́мом де́ле. А сейча́с вот в Москву́ е́дет за звёздочкой. Присво́или зва́ние Геро́я Социалисти́ческого Труда́.

Ту́ркин. Да ну?! Дела́![52]

Ва́ся. Дела́, по-мо́ему, неплохи́е. В колхо́з прие́дете — са́ми убеди́тесь. Вы, коне́чно, к нам? [Сади́тся ря́дом.] К нам ка́ждый день кто́-нибудь приезжа́ет. Осо́бенно корреспонде́нты — отбо́я нет.[53] Ну пото́м профессора́ ра́зные ча́сто быва́ют, арти́сты то́же. А сейча́с акаде́мика ждём. Мо́жет, вы и есть акаде́мик?

Ту́ркин [рассе́янно]. Како́й акаде́мик?

Ва́ся. Кото́рого ждём. Хотя́ нет, на акаде́мика вы не похо́жи. Они́ наро́д серьёзный, но и доброду́шный, лю́бят пошути́ть. А вы скоре́й на арти́ста-тра́гика похо́жи. Но арти́сты в одино́чку не е́здят, бо́льше всё брига́дой. Пря́мо не определю́, за кого́ вас и призна́ть. . . . Догада́лся! Ле́ктор! Соли́дность, портфе́ль. Ну, коне́чно, ле́ктор!

Ту́ркин. Како́й ле́ктор?

Вácя. По внéшним прíзнакам не берýсь определи́ть. Но скорéе всегó по междунарóдным вопрóсам: они́ как-то всегдá вы́глядят соли́днее. Да к нам стóлько рáзных людéй приезжáет, что срáзу и не разберёшься! У меня́, напримéр, прóшлый год интерéсный слýчай был. Поéхал на легковóй к пóезду, тóже за акадéмиком. Приéхал. Подошёл пóезд. Наблюдáю за пýбликой. Смотрю́, нарóд всё идёт прóстенький. Вдруг выхóдит — костю́мчик, шля́па, портфéль в застёжках, соли́дности на двух акадéмиков хвáтит. Ну, дýмаю, он! Тут и гадáть нéчего. Раскрывáю двéрцу — пожáлуйста. Когдá приéхал в колхóз, то вы́яснилось, что вмéсто акадéмика привёз ути́льщика, котóрый металлолóм собирáет. А настоя́щий акадéмик, окáзывается, в прóстеньком костю́мчике, в кéпи и без портфéля, приéхал на попýтном грузовикé. Ох и достáлось же мне тогдá[54] от Татья́ны Сергéевны.

Тýркин. Для чегó ты мне всё э́то расскáзываешь?

Вácя. Чтоб развесели́ть вас.

Тýркин. Развесели́ть?! Ты чей бýдешь? Что-то хвáтка у тебя́ бóльно знакóмая.

Вácя. Хвáтка не знáю, чья. А сам я Кóлосов.

Тýркин. Кóлосов?!

Вácя. Так тóчно, Кóлосов Васи́лий Семёнович.

Тýркин. А скóлько тебé лет?[55]

Вácя. Двáдцать.

Тýркин. А кто шофёром на "Побéде"?

Вácя. Пётр Терéнтьевич Тýркин, сын председáтеля колхóза Татья́ны Сергéевны. А вообщé-то мы не шофёры, а студéнты, приéхали на кани́кулы. Поня́тно?

Тýркин. [вытирáя платкóм пот с лицá.] Ничегó не понимáю.

Вácя. Вопрóсов бóльше нет?

Тýркин. С э́тими хотя́ бы разобрáться.

Вácя. Тогдá разбирáйтесь, желáю вам успéха, а мне порá к маши́не. [Отхóдит, огля́дываясь на Тýркина.] Что-то с ним не тогó. . .[56] Врóде моегó прошлогóднего ути́льщика. . . .

[Вхóдит Татья́на Сергéевна.]

Татья́на Сергéевна. [Вáсе.] Ну, ты чегó же, всё прикýриваешь?[57]

Ва́ся. Винова́т, Татья́на Серге́евна, непредви́денные обстоя́тельства задержа́ли. Консульта́нтом сде́лался, да, к сожале́нию, неуда́чно.

Татья́на Серге́евна. Ох, консульта́нт! . . . Мо́жешь е́хать: с расчётами всё в поря́дке.

Ва́ся. Есть е́хать! [Убега́ет.]

Татья́на Серге́евна. [Сади́тся ря́дом с Ту́ркиным.] По-мо́ему, мы не зако́нчили разгово́р о сы́не. Так вот, Тере́нтий Макси́мович, к твоему́ све́дению, Петру́ша на бу́ду́щий год конча́ет институ́т и, ви́димо, устро́ится без твое́й по́мощи. Кста́ти, он здесь.

Ту́ркин. Да я, ока́зывается, ви́дел его́ . . . разгова́ривал би́тых по́лчаса и . . . не знал, что разгова́риваю с сы́ном. Не поду́мал да́же. . . . А он не призна́лся.

Татья́на Серге́евна. Ви́димо, и он тебя́ не узна́л.

Ту́ркин. Я сказа́л ему́, кто я.

Татья́на Серге́евна [с иро́нией]. Бе́дный па́па! [Серьёзно.] А вообще́ он пра́вильно сде́лал. Вам бы не́ о чём бы́ло говори́ть. Но Петру́шу мне жаль:[58] нену́жная для него́ встре́ча.

Ту́ркин. Похо́же, что и с тобо́й получи́лась нену́жная встре́ча.

Татья́на Серге́евна. Нет, Тере́нтий, со мной — друго́е де́ло. Всему́ в жи́зни когда́-то подво́дится ито́г. Я мно́гое вспо́мнила. . . . Два го́да я была́ сча́стлива с тобо́й. . . . Пе́рвая любо́вь. . . . И ещё, мо́жет, я была́ сча́стлива потому́, что друго́го сча́стья тогда́ не зна́ла. А пото́м в дере́вню пришла́ но́вая жизнь, и оказа́лось, что мы по — ра́зному её принима́ем. . . . Тебя́ она́ испуга́ла, а меня́ увлекла́. Тяжело́ пережива́ла я наш разры́в. Бы́ли и сомне́ния, и сожале́ния. Тру́дно с се́рдцем сла́дить! Всё бы́ло . . . Но я нашла́ своё ме́сто в жи́зни. Пло́хо то́лько одно́[59] — в семье́ нет му́жа и отца́. Оби́дно . . . Но тепе́рь я уви́дела тебя́ и оконча́тельно убеди́лась, что хоро́шим му́жем и отцо́м ты всё равно́ не́ был бы. Вот, со́бственно, и всё.

Ту́ркин. Да! . . . Не ожида́л тако́е. . . .

Татья́на Серге́евна. Что ты ожида́л, я, Терёша, хорошо́ пр едставля́ю. Не та встре́ча получи́лась, о како́й ты ду́мал. Так вот, Тере́нтий: хоть ты, как говори́шь, живёшь роско́шно, но мне зави́довать твое́й судьбе́ не прихо́дится.[60]

Ту́ркин. Что ж поде́лаешь.[61] Не всем звёзды достаю́тся.

Татья́на Серге́евна. Де́ло не в звёздах — их то́же заслужи́ть на́до, — а в том, что ты лю́бишь лёгкими доро́жками к хоро́шей жи́зни добира́ться.

Ту́ркин. Мо́жет, не того́ иска́л.

Татья́на Серге́евна. Нет, Терёша, тогда́ бы ты не ушёл и от меня́, и из колхо́за. [По́сле па́узы.] Вот ви́дишь, два́дцать лет мы с тобо́й не ви́делись, а за два́дцать мину́т всё сказа́ли друг дру́гу. Зна́чит, действи́тельно у нас доро́ги ра́зные и це́ли ра́зные в жи́зни.

[Слы́шно, как подошёл по́езд. Татья́на Серге́евна вста́ла. Встал и Ту́ркин. Вхо́дит Пе́тя с чемода́ном.]

Пе́тя [не смотря́ на отца́]. Ма́ма, пора́.

Татья́на Серге́евна. Иди́, Пе́тя. Я сейча́с. . . .

[Пе́тя ухо́дит.]

Ну что же,[62] зае́дешь в го́сти?

Ту́ркин. Нет! Спаси́бо. Да и вообще́-то я и не собира́лся. Случа́йно всё получи́лось — от по́езда отста́л.[63]

Татья́на Серге́евна. Эх, Тере́нтий, е́сли б ты то́лько от по́езда отста́л!

Ту́ркин. И от тебя́, хо́чешь сказа́ть?

Татья́на Серге́евна. Нет! От жи́зни! Проща́й!

Ту́ркин. Проща́й!

[Татья́на Серге́евна ухо́дит. Че́рез не́которое вре́мя слы́шен шум отходя́щего по́езда, зате́м гул заведённого мото́ра и гудо́к отъе́хавшей ''Побе́ды''. Ту́ркин ме́дленно и гру́зно опуска́ется на скаме́йку, пода́вленный встре́чей. Из кио́ска выхо́дит продаве́ц, у него́ одна́ нога́ на проте́зе. Сади́тся на скаме́йку ря́дом с Ту́ркиным.]

Продаве́ц. Встре́тились?

Ту́ркин. Ну и что? . . . Поду́маешь! . . .[64]

Продаве́ц [споко́йно]. Поду́мать сто́ит.

Ту́ркин. Ну и ду́май! А мне не́ о чём! Всё переду́мано, всё я́сно! . . . И учи́ть меня́ не́чего![65] [Почти́ кричи́т.] Не нужда́юсь! [Поднима́ет свали́вшийся на зе́млю портфе́ль, и́щет шля́пу.]

Продаве́ц. Вот ва́ша шля́па. [Вытаскивает из-под него́ шля́пу.] Немно́жко смя́лась, ну да ничего́, сойдёт.[66] [Надева́ет ему́ смя́тую шля́пу.] Тепе́рь не в го́сти, а из госте́й!

Ту́ркин. Да . . . дела́. . . .

Продаве́ц [ирони́чески]. Дела́ ва́ши, мо́жно сказа́ть, оберну́лись изна́нкой, уважа́емый Тере́нтий Макси́мович. . . . Растéрянный и жа́лкий Ту́ркин ухо́дит куда́-то. [Смо́трит ему́ вслед.] Да . . . ра́зные доро́ги в жи́зни быва́ют. . . .

За́навес

Notes

1. Ну́-ка разверни́сь по-настоя́щему: Well, show me what you can really do! (Put up a good show!): Imperative of: разверну́ться.
2. А вы не прохлажда́йтесь!: (Imperative) Colloquial: And you — taking it easy, eh?; And why are you dilly-dallying?
3. При чём тут машини́ст?: What has the engineer got to do with it?
4. Так **то** вы́веска: But that's only a sign . . .
5. А мы водо́й не торгу́ем: But we don't sell (mineral) water. торгова́ть is used with the instrumental case: хле́бом, водо́й, ры́бой.
6. Набира́я ход: Gathering speed. Present gerund of набира́ть: to gather.
7. Вот э́то друго́й разгово́р: Now you are talking (sense)! That's the talk!
8. Шу́тки — шу́тками, а получа́ется не́скла́дно: The joke is all right but things have not turned out right.
9. Как тепе́рь быть?: What's to be done now? (What should I do now?)
10. Что э́то за ста́нция?: A common form of asking a question. What (sort of a) station is this. In such constructions the nom. case is used after за.
11. . . . и в поми́не не́ было: it was not even mentioned (for it did not even exist.).
12. хвати́лись: You've thought about it too late!
13. . . . вся́кие фо́кусы у ва́шей бра́тии: You fellows have all sorts of tricks.
14. Да то́же по торго́вой ча́сти: And also along business line. . . .
15. Прошу́! First p. I. of проси́ть: (to beg, request) Please! (Do me a favor!) Oblige!
16. Большо́му кораблю́ большо́е пла́вание: A proverb: Such a ship, such waters; high merits, high honors.
17. Просиди́шь всю жизнь в ларьке́: Impersonal use of 2nd p. P. One 'll (may) spend a lifetime in a small shop.
18. Ничего́ не поде́лаешь! There's nothing to be done (about it)! Impersonal use of 2nd p. P.: поде́лать.

19. Кому́ что нра́вится: Everyone to his (own) liking.
20. Ну и что же? Well what of it?!
    Вот и я . . .: Here, take me (for instance). . . .
21. . . . не сошли́сь хара́ктерами: were not congenial; did not agree; were incompatible.
22. Вот и получи́лось: and the result was. . . .
23. да и то сказа́ть: One might say (add). . . .
24. Он са́мый: That very same (person).
25. Де́ло не в э́том: This does not matter. This is of no importance.
26. Ну да ничего́: Oh, well, never mind! (That's all right!)
27. Как говори́тся: as the saying goes.
28. От добра́ добра́ не и́щут: One does not run away from a good thing.
29. Дай бог (Бог) ка́ждому так (жить): May the Lord give everyone such a life.
30. Э́то вёрст три́дцать с га́ком: (1 verst = 0.66 of a mile)
    Гак: from the German — Haken: a land measure used at one time on the Baltic coast which depended on the quality of soil and was not exact: more or less a верста́. (Thirty versts or more.)
31. То́ ли де́ло: It's quite another matter.
32. полсо́тни в зу́бы: You shove him (down his throat) fifty rubles or so, i.e., throw at him. . . .
33. Как — кто? What do you mean — who?
34. Э́то уж не то получа́ется: It turns out to be something else (something different).
35. Вы по како́му де́лу: On what business are you. . . .
36. Ско́лько тебе́ лет? How old are you? Тебе in this case is a familiar way of addressing a person. Dat. is used when telling age.
37. Э́то всё равно́: This is all the same.
38. Ну что ж: What of it?
39. Вот тебе́ раз: An expression of surprise: A fine how d'ye do for you!
40. Не́чего вам там де́лать: There's nothing for you to do there.
41. Ну и молодёжь пошла́! This is the kind of young people we have now!
42. Вот чёртов сын! Ah, the devil's son! See note: p. 101.
43. Говоря́ открове́нно: frankly speaking.
44. Де́ло не в го́рдости: It's not a matter of pride.
45. . . . мне бы́ло не до тебя́: I had no time (was too busy) to think of you.
46. Надое́ло мне: Impersonal construction: I am tired; I am weary of. . . .
47. Хва́тит и без тебя́ в дере́вне наро́ду: There are enough people in the village without you.
48. У всех: See note 8, p. 8.
49. Вот и́менно: That's just it.
50. . . . ей сейча́с не до вас: She has no time for you now.
51. У неё . . .: She has. See note 8, p. 8.
52. Да ну? Дела́!: Not really! (You don't say!) Such goings on!
53. . . . отбо́я нет: one can't get rid of them.
54. Ох и доста́лось же мне тогда́ . . .: Believe me, I got plenty then . . . and how!

55. Ско́лько тебе́ лет: How old are you? (with dat.)
56. Что́-то с ним не того́ . . .: Somehow or other, there must be something wrong with him. . . .
57. Ну, ты чего́ же? Well, what about you?
58. Мне жаль: I am sorry. (with dat.)
59. Пло́хо то́лько одно́: Only one thing is bad. . . .
60. Мне . . . не прихо́дится: I don't have to. . . .
61. Что ж поде́лаешь: There is nothing to be done!
62. Ну что же . . .: Well, what of it. . . .
63. От по́езда отста́л: I have missed my train.
64. Поду́маешь!: (Ironically) It's not worth thinking (bothering) about.
65. И учи́ть (тебе́) меня́ не́чего!: And you don't have to teach me!
66. Ну́ да ничего́, сойдёт!: Well, that's nothing! It'll come out all right!

Вопро́сы

1. Ско́лько де́йствующих лих лиц в э́той пье́се?
2. Куда́ подхо́дит Ту́ркин?
3. Как он оде́т?
4. Что он хо́чет купи́ть?
5. Куда́ он до́лжен стать?
6. Почему́ Ту́ркин вытира́ет лицо́ платко́м?
7. Что пьёт Ту́ркин?
8. Почему́ он прихо́дит обра́тно?
9. О чём Ту́ркин говори́т с продавцо́м?
10. Кака́я э́то ста́нция? Почему́ он удивлён?
11. Объясни́те выраже́ние: ''Большо́му кораблю́ большо́е пла́вание''.
12. Где нахо́дится колхо́з ''Побе́да''?
13. Что произошло́ в дере́вне за два́дцать лет?
14. Бы́ли ли у Ту́ркина ро́дственники?
15. Узна́л ли он ста́рого това́рища?
16. О чём разгова́ривают друзья́?
17. Хорошо́ ли живёт Ту́ркин?
18. Куда́ он хо́чет махну́ть? Почему́?
19. С кем он хо́чет пое́хать в Зале́сье и как?
20. Почему́ Пе́тя отказа́лся взять Ту́ркина?
21. Кто подхо́дит к скаме́йке?
22. Узнал ли её Ту́ркин?
23. Как жила́ без него́ его́ жена́?
24. Како́е у неё образова́ние?
25. Куда́ она́ е́дет? Почему́?
26. Ско́лько лет Пе́те? Что он де́лает в колхо́зе?
27. Что говори́т об э́той встре́че Татья́на Серге́евна?
28. Нашла́ ли она́ своё ме́сто в жи́зни?
29. Почему́ у них ра́зные доро́ги?
30. Почему́ Ту́ркин отста́л от жи́зни?

Семна́дцатая Весна́

Семна́дцатая Весна́

Пье́са Э. Рыжо́вой и Н. Вое́йковой

Де́йствующие Ли́ца

Капитоли́на Па́вловна — заву́ч сре́дней шко́лы
Наде́жда — её ста́ршая дочь
Ле́ночка — её мла́дшая дочь
Же́нщина — шофёр грузово́й маши́ны

Ко́мната скро́мная, но чи́стенькая и ую́тная. На ста́реньком пи́сьменном столе́ аккура́тные сто́пки учени́ческих тетра́дей. На этаже́рке ва́зочка с цвета́ми. Небольшо́й обе́денный стол, накры́тый клеёнкой. Ве́чер.

[При откры́тии за́навеса за пи́сьменным столо́м сиди́т Капитоли́на Па́вловна. Она́ сосредото́чилась над тетра́дями: чита́ет, вздыха́ет, что-то исправля́ет карандашо́м. Капитоли́на Па́вловна — су́хая, о́чень подтя́нутая же́нщина, на ней тёмное пла́тье, на носу́[1] пенсне́. Во́лосы гла́дко зачёсаны.]

Капитоли́на Па́вловна. [возмущённо.] Грубе́йшая оши́бка! Вопию́щая безгра́мотность! Я всегда́ утвержда́ю, что на́ша педагоги́ческая молодёжь[2] я́вно не подгото́влена к отве́тственной ми́ссии. . . .

[Гро́мкий стук в дверь и крик: "Котле́ты сгоре́ли!"]

Капитоли́на Па́вловна [вска́кивая и броса́ясь к две́ри.] Ах, это хозя́йство! [Выбега́ет из ко́мнаты.] [Вхо́дит Наде́жда. Э́то ещё молода́я и, мо́жет быть, милови́дная же́нщина, но о́чень озабо́ченная и уста́лая. У неё в рука́х хозя́йственная су́мка. Она́ бы́стро снима́ет пальто́, вынима́ет из су́мки буке́тик весе́нних цвето́в и бе́режно ста́вит их в ва́зочку вме́сто увя́дших.]

[Появля́ется Капитоли́на Па́вловна. У неё в рука́х сковоро́дка. Она́ нело́вко ло́вит пенсне́.]

Капитоли́на Па́вловна [с доса́дой и раздраже́нием]. Сгоре́ли! Возмути́тельно. И никто́ не мог поверну́ть ого́нь.

Наде́жда [терпели́во]. Ничего́ мам, я сейча́с. . . .

Капитоли́на Па́вловна. [с упрёком.] Не могла́ прийти́ ра́ньше! Ты же зна́ешь, за́втра у меня́ роди́тельский сове́т — мой докла́д об успева́емости пя́тых классов! И, как всегда́, мне поручи́ли гото́вить реше́ние. . . .

Наде́жда [мя́гко]. Я не могла́ ра́ньше: бы́ло обсужде́ние но́вого рома́на — собрало́сь мно́го чита́телей. . . .

Капитоли́на Па́вловна. [перебива́я.] До́лго я бу́ду стоя́ть со сковоро́дкой! . . .

Наде́жда. [Бы́стро берёт сковоро́дку.] Прости́. . . . . . [оживля́ясь.] Собрало́сь почти́ пятьдеся́т челове́к! Сидо-ре́нко да́же с жено́й пришёл. Она́ тепе́рь то́же на́ша постоя́нная чита́тельница. . . .

Капитоли́на Па́вловна. Ра́да за тебя́. Ты всегда́ была́ разу́мной де́вушкой.

Наде́жда. Разу́мной? Да, э́то я всегда́ слы́шала. . . .

Капитоли́на Па́вловна. Чего́ ника́к нельзя́ сказа́ть о твое́й дорого́й сестри́це!

Наде́жда [улыба́ясь]. Ле́ночка?

Капитоли́на Па́вловна. Она́ са́мая. Уже́ де́вять, а она́ где́-то но́сится! Как бу́дто у неё нет никаки́х обя́занностей!

[Сади́тся за тетра́ди. Наде́жда чи́стит карто́шку.]

Наде́жда. Мо́жет, в кино́ с подру́жками пошла́. . . .

Капитоли́на Па́вловна. Наде́нь рези́новые перча́тки — от карто́шки ру́ки име́ют ужа́сный вид.

Наде́жда. Ничего́, помо́ю щёткой. . . .

Капитоли́на Па́вловна. Щёткой не мо́ют, а чи́стят. . . . Тебе́ да́ли втору́ю едини́цу?

Наде́жда. Обеща́ли, но ника́к не мо́гут утверди́ть. Сего́дня была́ в культотде́ле,[4] проси́ла. Говоря́т, что с пе́рвого утвердя́т.

Капитоли́на Па́вловна. На́до тре́бовать,[5] а не проси́ть! Тепе́рь ты име́ешь на э́то пра́во — сто́лько чита́телей! Не мо́жешь же ты сиде́ть ка́ждый ве́чер с ни́ми до́ ночи. . .

Наде́жда [с го́рдостью]. Как вспо́мнишь[6] — ничего́ не́ было: оди́н шка́фчик и два деся́тка потрёпанных книг! А тепе́рь! Како́й зал да́ли — лу́чшую ко́мнату в клу́бе! . . . Пятна́дцать ты́сяч томо́в. . . . Ка́ждый то́мик сама́ поку-па́ла. . . . А чита́тели? Почти́ две ты́сячи. . . . Ты по́мнишь, ма́ма, я тебе́ говори́ла о Полива́нцеве — како́й хулига́н был, а тепе́рь так к чте́нию пристрасти́лся — се́рдце ра́дуется!

Капитоли́на Па́вловна [су́хо]. Тебе́ обяза́тельно нужна́ помо́щница. И лу́чше бери́ пожилу́ю — от молодо́й то́лку ма́ло![7] Э́та твоя́ Та́ня мне определённо не нра́вится.

Наде́жда. Она́ о́чень ми́лая и така́я весёлая!

Капитоли́на Па́вловна. Для серьёзного библиоте́чного рабо́тника весёлость соверше́нно необяза́тельна. Я тебе́, ка́жется, всегда́ дава́ла разу́мные сове́ты!

Наде́жда [вздыха́я]. Да, разу́мные . . . [Выхо́дит на ку́хню.]

[Капитоли́на Па́вловна погружа́ется в тетра́ди. Ти́хо.]

Капитоли́на Па́вловна. Всё соверше́нно я́сно. Придётся ста́вить вопро́с о заме́не э́той но́вой учи́тельницы. [Закрыва́ет тетра́ди.] Нам нужна́ гра́мотность, а высо́кие мы́сли пото́м поя́вятся! Где же Еле́на? Соверше́нно отби́лась от рук.[8] Придётся серьёзно побесе́довать.

[Широко́ распа́хивается дверь и вбега́ет Ле́ночка — ма́ленькая, хру́пкая де́вушка — подро́сток с коси́чками. Она́, ви́димо, то́лько что пла́кала. Бере́т на боку́, пальто́ расстёгнуто.]

Капитоли́на Па́вловна. Бо́же! Что за вид?[9] И ты в тако́м ви́де шла по у́лице?!

Ле́на. Ну како́е мне де́ло до како́го-то ви́да,[10] когда́ они́ все таки́е бюрокра́ты! [Опуска́ется на стул.]

Капитоли́на Па́вловна. Кто? Кто бюрокра́ты, где ты была́? Приведи́ себя́ в поря́док![11] [Ле́на упря́мо нагну́ла го́лову.]

[Вхо́дит Наде́жда со сковоро́дкой жа́реной карто́шки.]

Капитоли́на Па́вловна. Вот, полюбу́йся на э́ту неря́ху![12] Твоя́ обожа́емая сестри́ца.

Наде́жда. Что с тобо́й,[13] Лено́к?

Ле́на. [Броса́ется на ше́ю к сестре́.] То́лько ты меня́ поймёшь! [Пла́чет.] Бюрокра́ты ужа́сные, говоря́т, я мала́. . . .

Капитоли́на Па́вловна. Не взя́ли докуме́нты? Что ж ты молчи́шь?

Ле́на. Ну да, не взя́ли . . . [Всхли́пывает.] Говоря́т — мала́, нет восемна́дцати! Хорошо́ — тебе́ це́лых три́дцать пять. . . . Хоть бы мне сто́лько![14]

Наде́жда. Э́то далеко́ не так хорошо́.[15]

Капитоли́на Па́вловна. Кака́я глу́пость! Но ты сказа́ла, что твой оте́ц был заслу́женный учи́тель, а мать — заву́ч, и ты продолжа́ешь профе́ссию роди́телей?

Ле́на [вздыха́я]. О профе́ссиях да́же не спроси́ли . . . Сказа́ли! Нет восемна́дцати и — всё.[16] [Пла́чет.]

Капитоли́на Па́вловна [реши́тельно]. Я сейча́с же позвоню́[17] А́нне Спиридо́новне — она́ меня́ прекра́сно зна́ет и твоего́ отца́ [Вздыха́ет.] то́же зна́ла! И всё ула́дится.[18] А тебе́ пора́ сади́ться за уче́бники.[19] Хва́тит болта́ться.[20] [Идёт к телефо́ну, набира́ет но́мер.]

Наде́жда. Не плачь, э́то легко́ испра́вить. . . .

Ле́на. И совсе́м не легко́. Он о́сенью в а́рмию идёт на три го́да. . . .

Капитоли́на Па́вловна. Кто? [Остана́вливается с тру́бкой в рука́х.]

Ле́на. [ти́хо.] Ко́лька. . . .

Капитоли́на Па́вловна [в тру́бку]. Алло́! Алло́, э́то кварти́ра? Не остроу́мно! Хулига́нство! [Ве́шает тру́бку.] Наде́жда! Како́й но́мер у А́нны Спиридо́новны?

Наде́жда. Сейча́с вспо́мню . . . 6-25-15 . . Ка́жется. . . .

Капитоли́на Па́вловна. Неуже́ли нельзя́ по́мнить то́чно? [Сно́ва набира́ет но́мер.]

Наде́жда [Ле́ночке.] Три го́да не так уж мно́го. Иногда́ и бо́льше ждут. . . .

Ле́на. Я не хочу́, как ты. . . . [Остана́вливается.]

Капитоли́на Па́вловна. Кого́ ещё на́до ждать? [В тру́бку.] Э́то не вам! Алло́! Пове́сили тру́бку.

Ле́на. [Бро́силась к сестре́.] Ты меня́ прости́, Надю́ш! [Ма́тери.] Ну да, ждать, а ты сама́ говори́ла, что ждать, догоня́ть и занима́ть — о́чень плохи́е глаго́лы. [На́де.] Ты — не се́рдишься?

Наде́жда [тепло́]. Нет, де́вочка!

Капитоли́на Па́вловна. [Сади́тся в кре́сло, поправля́ет пенсне́.] Я волну́юсь, звоню́, а им и де́ла нет![21] Мо́жет, вы мне соблаговоли́те объясни́ть, чем вы так за́няты?[22]

Наде́жда. Э́то това́рищ Ле́ночки — Ко́ля Верши́нин, по́мнишь, тот са́мый, что[23] ушёл из восьмо́го кла́сса на заво́д?

Капитоли́на Па́вловна. Не могу́ я по́мнить всех её това́рищей. У меня́ голова́ за́нята бо́лее поле́зными дела́ми.

Наде́жда. Так вот — он в а́рмию ухо́дит, а Ле́ночка огорча́ется.

Ле́на. Не огорча́юсь, а с ума́ схожу́!

Капитоли́на Па́вловна. Э́то ви́дно по ва́шей растрёпанной вне́шности, суда́рыня! Но я так и не поняла́ — при чём тут институ́т,[24] в кото́рый ты поступа́ешь и, наде́юсь, там бу́дешь учи́ться?

Ле́на. Меня́ соверше́нно не интересу́ет э́тот твой педагоги́ческий институ́т. Я на заво́д пойду́ — у нас вся гру́ппа идёт. Вот!

Капитоли́на Па́вловна. Ты ещё несовершенноле́тняя, что́бы так рассужда́ть. . . .

Ле́на. Вот, вот, и они́ там так сказа́ли: несовершенноле́тняя. А я им говорю́, а па́спорт что — ра́зве так про́сто да́ли, что́бы в су́мочке носи́ть, и Ко́ля то́же говори́т. . . .

Наде́жда. Ты, зна́чит, на заво́д ходи́ла устра́иваться?

Ле́на. Нет. . . .

Капитоли́на Па́вловна. Так где же ты была́? [Подхо́дит к ней.]

Ле́на [ти́хо]. В за́гсе. . . .

Капитоли́на Па́вловна
Наде́жда } В за́гсе?!

Капитоли́на Па́вловна. У́жас! [Па́дает в кре́сло.] Се́рдце!

Наде́жда. Сейча́с! [Хвата́ет пузырёк с ка́плями, тороппли́во налива́ет.]

Капитоли́на Па́вловна. Сме́рти вы мое́й хоти́те!

Наде́жда. Вы́пей, успоко́йся. . . .

Капитоли́на Па́вловна [сла́бым го́лосом]. Два́дцать ка́пель?

Наде́жда. Два́дцать . . . да, да.

Капитоли́на Па́вловна. [Пьёт, неожи́данно мо́рщится и плюётся.] Бо́же! Что ты мне дала́? Отра́ву?!

Наде́жда. [Смо́трит на пузырёк.] Гм . . . ка́жется, не то. . . .

Капитоли́на Па́вловна. Полы́нные ка́пли . . . У́жас!

Наде́жда. [Бы́стро нака́пала други́е.] Вот . . возьми́, э́то серде́чные. . . .

Капитоли́на Па́вловна. [Осторо́жно ню́хает.] Э́то они́?

Наде́жда [терпели́во]. Да, да, они́. . . .

Капитоли́на Па́вловна [осторо́жно пьёт]. Ох! Кака́я я несча́стная. . . .[25] Хорошо́, хоть ты уже́ на свои́х нога́х[26] — моё сло́во твоему́ отцу́ я вы́полнила.

Наде́жда. Да, вы́полнила. . . .

Капитоли́на Па́вловна. Но — э́та! Вы посмотри́те на неё — вме́сто серьёзной учёбы — пусты́е фли́рты!

Ле́на. Э́то никако́й не флирт, а настоя́щая любо́вь!

Капитоли́на Па́вловна. То́лько вчера́ я проводи́ла бесе́ду со ста́ршекла́ссницами об их до́лге — я порица́ла э́ти скороспе́лые бра́ки, э́ти глу́пые влюблённости. . . . [Взволно́ванно хо́дит по ко́мнате.] И вдруг моя́ дочь мне преподно́сит э́такий сюрпри́з! У́жас! Голова́! [Хвата́ет полоте́нце, кото́рое протя́гивает ей Наде́жда.] Что ты мне дала́? Ты же зна́ешь, что я не выношу́ хо́лода!

Наде́жда [бы́стро]. Сейча́с, сейча́с. . . . [Бы́стро облива́ет его́ водо́й из ча́йника.] Вот, тепе́рь — тепле́е. . . .

Капитоли́на Па́вловна. [Берёт и обжига́ется.] Э́то издева́тельство! Ты хо́чешь меня́ обвари́ть? [Бесси́льно опуска́ ется в кре́сло.]

Наде́жда. [Опя́ть сма́чивает полоте́нце, выжима́ет его́ и протя́гивает его́ ма́тери.] Вот. [Ле́ночке.] И докуме́нты не взя́ли?

Ле́на. Угу́. . . . Но мы. . . . [Смо́трит на мать и обрыва́ет фра́зу.]

Капитоли́на Па́вловна. Ещё бы![27] Не сумасше́дшие же там сидя́т! Но како́й позо́р! . . . Моя́ дочь — и вдруг вме́сто ву́за отпра́вилась в загс. . . .

Наде́жда [вздыха́я]. Тебе́, Ле́ночка, ра́но ещё, ра́но ещё об э́том ду́мать — ты ещё в жи́зни ничего́ не ви́дела. . . .

Ле́на [горячо́]. Ты пойми́, Надю́ш, он тако́й хоро́ший, краси́вый . . . и уже́ сле́сарь шесто́го разря́да! Я его́ о́чень люблю́. Ты же сама́ говори́ла, что са́мое прекра́сное — э́то любо́вь на всю жизнь!

Наде́жда. Но ты ещё так ма́ло прожила́. . . . И э́то твоя́ пе́рвая встре́ча. . . .

Ле́на. А мо́жет, она́ и есть та — са́мая настоя́щая!

Капитоли́на Па́вловна. [Реши́тельно встаёт, обма́тывает полоте́нце вокру́г головы́.] Прекрати́м э́тот разгово́р. Тебе́ на́до ду́мать об институ́те и вы́бросить из головы́ э́тот вздор. Я́сно? Начита́лась рома́нов, кото́рыми тебя́ ще́дро снабжа́ла твоя́ дорога́я сестра́. [К На́де.] Я счита́ла тебя́ бо́лее разу́мной!

Наде́жда. Бо́лее разу́мной. . . . А зна́ешь, иногда́ мне ка́жется, что я сде́лала в жи́зни каку́ю-то огро́мную оши́бку . . . и ника́к не могу́ её испра́вить. . . .

Капитоли́на Па́вловна. Ну, начало́сь самобичева́ние! Ты де́лаешь большо́е и ну́жное де́ло. Тебя́ уважа́ют, це́нят, счита́ются с тобо́й. О каки́х оши́бках мо́жет идти́ речь? Не понима́ю!

Наде́жда [ти́хо]. Мо́жет быть. . . .

Ле́на [перебива́я]. Да, не понима́ешь!

Капитоли́на Па́вловна [возмущённо]. О чём ты берёшься суди́ть? Твоя́ мать и сестра́ тебе́ я́сно сказа́ли: вы́брось из головы́ э́тот вздор и займи́сь де́лом.[28] Бери́ приме́р со свое́й сестры́ — добе́йся хоть полови́ны уваже́ния, кото́рым она́ по́льзуется! Хотя́ я о́чень сожа́лею, что она́ не педаго́г. Вот здесь мы, мо́жет быть, и допусти́ли оши́бку. . . .

Ле́на [авторите́тно]. И всё-таки она несча́стна.

[Наде́жда в продолже́ние разгово́ра накрыва́ет на стол, наре-за́ет хлеб — она́ привы́кла э́то де́лать.]

Наде́жда. Я — несча́стна? Кто э́то тебе́ сказа́л?

Капитоли́на Па́вловна. Ты сего́дня како́й-то вздор несёшь![29] [Переса́живается за обе́денный стол и пододвига́ет к себе́ таре́лку.] Рекоменду́ю вам, суда́рыня, вме́сто ва́ших открове́ний — мыть ру́ки и сади́ться за стол обе́дать!

Ле́на [горячо́]. Да, несча́стна! Ты про́сто э́того не ви́дишь.

Наде́жда [взволно́ванно]. Ты ошиба́ешься, Ле́ночка. Я о́чень люблю́ свою́ рабо́ту. . . .

Капитоли́на Па́вловна. Что же ещё ну́жно?[30]

Ле́на. Рабо́та, рабо́та. . . . А почему́ ты его́ ка́рточку всегда́ с собо́й но́сишь. . . .

Наде́жда [смущённо]. Отку́да ты э́то зна́ешь. . . . Тебе́ про́сто показа́лось!

Ле́на. Нет, я то́чно зна́ю! И пи́сьма его́ потихо́ньку все пере-чи́тываешь. Я не хочу́, как ты. . . .

Капитоли́на Па́вловна. Вот ви́дишь, как на твою́ воспи́тан-ницу вре́дно де́йствуют все э́ти нену́жные вздо́хи! Был бы он уж о́чень краси́в, умён. . . .

Наде́жда [ти́хо]. И я не краса́вица.

Ле́на [горячо́]. Нет, нет — ты са́мая краси́вая. . . . Да, да! Э́то и Ко́лька говори́т — у твое́й сестры́ о́чень глаза́ хоро́шие. . . .

Наде́жда [ти́хо]. И он так говори́л. . . . Ах, кака́я у него́ душа́ была́ я́сная. . . .

Капитоли́на Па́вловна. Я всё э́то слы́шала. Но на́до реа́льно смотре́ть на ве́щи. Война́ унесла́ мно́гих. . . . Тем бо́лее он не́ был твои́м му́жем, не стал отцо́м твои́х дете́й. . . .

Наде́жда. Вот об э́том я всю жизнь жале́ю. . . .

Капитоли́на Па́вловна [удивлённо]. О чём? Еле́на, пойди́ умо́йся! [Ле́на ухо́дит.]

Наде́жда. О том, что он не стал отцо́м моего́ ребёнка. . . .

Капитоли́на Па́вловна. Опо́мнись![31] Что ты говори́шь? Где твои́ мора́льные усто́и?

Наде́жда [горячо́, с неожи́данной открове́нностью]. Усто́и, усто́и! А почему́ тогда́, когда́ он по́сле го́спиталя прие́хал на побы́вку, ты помеша́ла мне вы́йти за́муж. . . .[32] Настро́ила больну́ю ба́бушку про́тив. . . .

Капитоли́на Па́вловна. Како́й же э́то брак? Он уезжа́л на фронт. И действи́тельно его́ вско́ре. . . .

Наде́жда [прерыва́я, с бо́лью]. Но э́тот ме́сяц был бы наш! Да, наш. Я жила́ бы им всю жизнь. А тепе́рь и э́того у меня́ нет![33]

Капитоли́на Па́вловна [ти́хо]. Что я могла́ тогда́ сде́лать? У меня́ на рука́х больна́я мать, ма́ленькая Ле́ночка, муж на фро́нте, и вдруг и ты . . . ещё с ребёнком оста́лась бы . . . Разу́мнее бы́ло. . . .

Наде́жда. Ребёнок, его́ ребёнок! Была́ бы цель в жи́зни. . . .

Капитоли́на Па́вловна [заду́мчиво]. Но ты же не стару́хой оста́лась. . . .

Наде́жда. О чём ты говори́шь?

Капитоли́на Па́вловна. Я говорю́ о заму́жестве. Бы́ли же подходя́щие предложе́ния. . . .

Наде́жда [с усме́шкой]. Предложе́ния!

Капитоли́на Па́вловна. Я не понима́ю твоего́ презри́тельного то́на.

Наде́жда [горячо́]. Не понима́ешь? Хорошо́, я объясню́ тебе́. Ты раз навсегда́ реши́ла, что я — счастли́вая. Ты никогда́ не попыта́лась заду́маться над мое́й жи́знью, загляну́ть в мою́ ду́шу. . . .

Капитоли́на Па́вловна. Заче́м же тако́й надры́в? Ты, всегда́ така́я разу́мная. . . .

Наде́жда. Разу́мная —– ненави́жу э́то сло́во!! Да, разу́мная. Я эконо́мно веду́ хозя́йство, я всегда́ споко́йно сношу́ все твои́ капри́зы, выполня́ю все твои́ тре́бования. . . .

Капитоли́на Па́вловна [прерыва́я]. Мо́жет быть, доста́точно перечисля́ть свои́ досто́инства?

Наде́жда. Нет! Оди́н раз мо́жешь вы́слушать до конца́! Да, ты уве́рена, что я сча́стлива —– так тебе́ споко́йнее! У меня́ нет семьи́!

Капитоли́на Па́вловна. А мы, я, Еле́на —– тебе́ чужи́е? Благодарю́!

Наде́жда. Но э́то же ра́зные ве́щи! Ты же сама́ была́ два́жды за́мужем![34]

Капитоли́на Па́вловна. И не скажу́, чтоб э́то было так уда́чно. . . .

Наде́жда. У тебя́ оста́лись мы. У меня́ да́же э́того нет.

Капитоли́на Па́вловна. На́до бы́ло выходи́ть за́муж, когда́ тебе́ э́то предлага́ли.

Наде́жда. Ты говори́шь об Ази́нцеве?

Капитоли́на Па́вловна. Да, о нём. Инжене́р, с положе́нием,[35] прекра́сно воспи́тан, о́чень прили́чный. . . .

Наде́жда [с усме́шкой]. О́чень прили́чный!

Капитоли́на Па́вловна. На тебя́ не угоди́шь.[36]

Наде́жда. Он плени́л тебя́ свое́ю ве́жливостью. Ещё бы, целова́л ру́чку и занима́л разгово́ром. . .[37]

Капитоли́на Па́вловна [вздыха́я]. Э́то не так ча́сто встреча́ется. . . .

Наде́жда. И при э́том скрыл, что у него́ есть жена́ и ребёнок. . . .

Капитоли́на Па́вловна. Но он же пото́м предлага́л тебе́ развести́сь. . . .

Наде́жда. Воро́ванного мне на́до. Отбива́ть не уме́ю.

Капитоли́на Па́вловна [примири́тельно]. Мо́жет быть, там и разруша́ть уж не́чего бы́ло —– простая форма́льность.

Наде́жда. А она́, его́ жена́? Ей каково́?[38] Э́то то́же — форма́льность!

Капитоли́на Па́вловна. Ну что ж, ищи́. . .

Наде́жда. Иска́ть? Как? Где? Кого́?

Капитоли́на Па́вловна. Не понима́ю тебя́.

Наде́жда. Го́рько приходи́ть на вечера́ и всегда́ ока́зываться нечётной. И́ли слы́шать смущённую про́сьбу: ''Мо́жет быть, вы придёте с ва́шим знако́мым? А то у нас все бу́дут с мужья́ми''.

Капитоли́на Па́вловна. Ты сего́дня про́сто мра́чно настро́ена.[39] Семе́йные же́нщины несу́т сто́лько забо́т на свои́х плеча́х . . . А ты ви́дишь то́лько их пра́здники!

Наде́жда. Я зави́дую их забо́там.

Капитоли́на Па́вловна. Забо́там?

Наде́жда. Да, забо́там. Они́ спеша́т домо́й, где их ждут. Они́ там нужны́. А мне куда́ спеши́ть? Кто меня́ ждёт?

Капитоли́на Па́вловна. А я? А Ле́ночка?

Наде́жда. Ле́ночка! Я вы́ходила ее! Но и она́ ско́ро упорхнёт в своё гнездо́. . . .

Капитоли́на Па́вловна. Ты оста́нешься со мной. . . .

Наде́жда. Да. Не пове́шусь, не отравлю́сь. Я бу́ду рабо́тать, как рабо́тала. И улыба́ться мои́м чита́телям, и мыть посу́ду, и убира́ть ко́мнату, и всё бу́дет идти́ так же, как шло до сих пор. . . .

Капитоли́на Па́вловна. И чего́ же ты тепе́рь хо́чешь?

Наде́жда [ти́хо, о́чень тепло́]. Я хочу́, чтобы у нас в до́ме появи́лся ребёнок. . . .

Капитоли́на Па́вловна. [С у́жасом.] Ты о Ле́не?

Наде́жда [ти́хо]. Да, о ней.

Капитоли́на Па́вловна [возмущённо]. Ты бре́дишь?! Э́то бу́дет кошма́р!

Наде́жда [горячо́]. Э́то бу́дет вели́кое сча́стье!

Капитоли́на Па́вловна [раздражённо]. Ты забыва́ешь, что Еле́на должна́ ещё стать на́ ноги, а ребёнок — э́то обу́за!

Наде́жда [возмущённо]. Обу́за?! А что бы ты де́лала без нас, е́сли бы оста́лась одна́?

Капитоли́на Па́вловна [ти́хо]. Я не ду́мала над э́тим. . . .

Наде́жда [го́рько]. Ты могла́ не ду́мать.

Капитоли́на Па́вловна. Война́ . . . Е́сли бы бы́ли твои́ све́рстники. . . .

Наде́жда. Вот и́менно потому́, что шла война́, нельзя́ бы́ло ме́рить жизнь ма́ленькой, тре́звой ме́ркой.

Капитоли́на Па́вловна [ти́хо, заду́мчиво]. Но что я могла́. . . .

Наде́жда [прерыва́я, с сожале́нием о ска́занном]. Не на́до![40]

Капитоли́на Па́вловна. Что сде́лано, то сде́лано! Сейча́с на́до ду́мать о Еле́не. За́втра я сама́ пойду́ с ней в институ́т. [Вздыха́я.] Придётся отложи́ть[41] лету́чку. Э́то о́чень нежела́тельно. Мо́жет быть, ты пройдёшь с Еле́ной в институ́т и объясни́шь им?

[Во вре́мя после́дней фра́зы Капитоли́ны Па́вловны вхо́дит Ле́на.]

Наде́жда. Хорошо́, я схожу́.

Ле́на. А вам не ка́жется, что на́до ещё и меня́ спроси́ть?

Капитоли́на Па́вловна. Ра́зве у тебя́ мо́жет быть друго́е мне́ние?[42] Ах, е́сли бы был жив твой оте́ц!

Ле́на [авторите́тно]. Па́па меня́ бы по́нял. Он всегда́ говори́л, что на́до учи́тывать индивидуа́льность ребёнка, то есть . . . челове́ка, коне́чно.

Наде́жда [тепло́]. Како́й же ты ещё ребёнок!

Ле́на [реши́тельно]. Я в твой педагоги́ческий институ́т не пойду́! Мы реши́ли с Никола́ем за́втра идти́ к нача́льнику городско́го за́гса!

Капитоли́на Па́вловна. Вы́ реши́ли? Каково́ — они́ реши́ли. [к Наде́жде.] Э́то всё твои́ вздо́хи и рома́ны! Вот тепе́рь и расхлёбывай э́ту ка́шу![43]

Наде́жда. [Ле́ночке.] Сейча́с ты посту́пишь в институ́т, а пото́м, когда́ он вернётся, — вы поже́нитесь!

Ле́ночка. Не хочу́ ждать три го́да. . . . До о́сени ещё три ме́сяца. . . .

Капитоли́на Па́вловна [раздражённо]. Я отка́зываюсь разгова́ривать с э́той упря́мой девчо́нкой. За́втра пойду́ к нача́льнику и разъясню́ ему́, с кем он име́ет де́ло.[44] Я мать, наконе́ц!

Ле́на. Нет, ты не пойдёшь! Не меша́й нам, как помеша́ла На́де!

Капитоли́на Па́вловна. Что?!

Наде́жда. [к Ле́ночке.] Ты неправа́. Тогда́ бы́ли тяжёлые дни. Он уходи́л на фронт. А сейча́с твой Ко́ля отслу́жит три го́да и вернётся к тебе́.

Ле́на [утира́я слёзы]. А вдруг он меня́ разлю́бит за три го́да. . . .

Наде́жда [вытира́я ей лицо]. Зна́чит, он тебя́ не сто́ит![45]

Ле́на. Ты ду́маешь?

Наде́жда. Коне́чно!

Капитоли́на Па́вловна. Не понима́ю, к чему́ все э́ти уговоры. Ты же ви́дишь, что она́ ещё глупа́ и соверше́нно не отвеча́ет за свои́ посту́пки.

Ле́на [оби́женно]. О́чень да́же отвеча́ю. И вот за́втра пойду́ в загс.

[Раздаётся ре́зкий стук в дверь, она́ распа́хивается и, не дожида́ясь приглаше́ния, на поро́ге появля́ется высо́кая ро́слая же́нщина. На ней сапоги́ и спецо́вка. Её движе́ния реши́тельны.]

Капитоли́на Па́вловна. Кто вы? [Же́нщина, не отвеча́я, огля́дывает всех, остана́вливает свой взгляд на Наде́жде. Капитоли́на Па́вловна, раздражённо.] Я спра́шиваю, кто вы?

Же́нщина [зло]. Сейча́с узна́ете!

Капитоли́на Па́вловна [сде́рживаясь, су́хо]. Что вам уго́дно?[46] Вы роди́тельница?

Же́нщина. Изве́стно — роди́тельница, ина́че чего́ мне у вас де́лать! Чай пить, что ли!

Капитоли́на Па́вловна [стро́го]. Роди́телей я принима́ю в шко́ле. Сего́дня уже́ зако́нчила. За́втра с трёх. . . .

Же́нщина [вспыли́в]. Вот как![47] Здесь не жела́ете?

Капитоли́на Па́вловна [официа́льно]. Здесь мой дом!

Же́нщина. Ну что же,[48] зна́чит, по а́дресу попа́ла.[49] В о́бщем, кото́рая здесь та? [Реши́тельно подхо́дит к Наде́жде.]

Наде́жда. Что вам ну́жно?

Же́нщина. Вот что я те́бе, ба́рышня, скажу́: ты мне брось па́рня с то́лку сбива́ть!

Наде́жда. Како́го па́рня? Что вы?

Капитоли́на Па́вловна. Вы ошиба́етесь, не туда́ попа́ли!

Же́нщина. Скро́мная така́я с ви́ду, и не поду́маешь — а сама́ па́рням го́лову дури́т. . . .

Надéжда [возмущённо]. Как вы смéете?

Жéнщина. А вот и смéю! Потомý оди́н он у меня́ — отцá на фрóнте уби́ли, самá расти́ла. . . . В оби́ду не дам!

Капитоли́на Пáвловна. Вы сумасшéдшая!

Жéнщина [не обращáя внимáния[50] на её рéплику]. А ещé говоря́т,[51] детéй ýчите. . . .

Надéжда [спокóйно]. Мы вáшего сы́на не знáем. . . . Вы действи́тельно оши́блись. . . .

Жéнщина [возмущённо]. Не знáете? И не сты́дно вам?

Капитоли́на Пáвловна. [Хватáется зá голову.] Ужáсный день!

Жéнщина. Ишь каки́е нéрвные! А как мальчи́шку завлекáть, так. . . .

Надéжда [реши́тельно]. Я вы́зову мили́цию. Вы безобрáзничаете! [Идёт к телефóну.]

Жéнщина. Зови́, зови́. . . . Не испугáюсь!

Капитоли́на Пáвловна [умирáющим гóлосом]. Уйди́те . . . уйди́те . . . Мне плóхо![52]

Жéнщина [реши́тельно]. Так вот что.[53] Ты Кóльку моегó остáвь в покóе.

Лéна [бы́стро]. Кóльку? Так вы — Кóлина мáма?[54]

Жéнщина. А э́то ещё что за козя́вка?

Лéна [вáжно]. Здрáвствуйте! Он — мой жени́х!

Жéнщина [поражéнá]. Что?! [Вáлится в крéсло с грóмким смéхом.] Жени́х. . . . Ой, умори́ли. . . .

Лéна [вáжно]. Не понимáю, что тут смешнóго? Мне скóро восемнáдцать бýдет.

Жéнщина. Восемнáдцать? [Опя́ть смех.] Ой, невéста. . . . Да тебé в кýклы ещё игрáть!

Капитоли́на Пáвловна. Так вы мать э́того сáмого Кóли? [Официáльно] Я бýду проси́ть вас воздéйствовать на вáшего сы́на, чтóбы он не забивáл гóлову дéвочке вся́кой ерундóй.

Лéна. И совсéм я не дéвочка. . . .

Надéжда. Тепéрь вы вéрите, что я не покушáюсь на вáшего сы́на?

Жéнщина [виновáто]. Да вот . . . Приéхала я из рéйса, а тут сосéди говоря́т: "Твой Кóлька жени́ться задýмал на учи́тельской дóчке". Ну, я и забеспокóилась. . . . А э́то . . . [Смеётся теплó.] Ну, как ты,[55] невéста? Поди́-ка сюда́![56] Да ты ж дитё совсе́м! Тебе́ расти́ ещё на́до! А Ко́лька — Ко́лька пуска́й себе́[57] е́дет в а́рмию служи́ть, никуда́ не де́нется.[58] Всё к нам прие́дет. Вот! Зна́чит, вме́сте его́ ждать бу́дем? Да?

Капитоли́на Па́вловна. Я о́чень ра́да, что вы не подде́рживаете э́ту неле́пую иде́ю.

Же́нщина. Кака́я така́я иде́я — про́сто ей учи́ться ещё на́до, а он в а́рмии послу́жит — вернётся, а там погляди́м! А он па́рень у меня́ хоро́ший, серьёзный, да быва́ет иногда́[59] — не без э́того! Па́рень! Вот в матема́тике не бо́льно силён. Без отца́-то — как? Да и в войну́ он два го́да не учи́лся. . . .

Капитоли́на Па́вловна. По матема́тике? Что же ра́ньше не обрати́лись? У нас прово́дятся дополни́тельные заня́тия. . .

Же́нщина. Да не реши́лась как-то. Мно́го их у вас. А он ещё вече́рнюю конча́л и рабо́тал. . . .

Капитоли́на Па́вловна. Да . . . я слы́шала.

Наде́жда. [Налива́ет чай.] Сади́тесь, вы́пейте чайку́ с на́ми!

Же́нщина. Спаси́бочко. . . . Да домо́й пора́. . . . Я к вам пря́мо с маши́ны. [Смущённо огля́дывает свои́ гря́зные сапоги́.]

Наде́жда. Ничего́ . . . ничего́ . . . Сади́тесь. . . .

[В окно́ ударя́ются ме́лкие ка́мешки.]

Капитоли́на Па́вловна. Что э́то?

Же́нщина. Озорники́, ве́рно. . . .

Ле́на. Э́то он. [Подбега́ет к окну́, открыва́ет его́.] Коль, она́ здесь. . . . Не-е, чай пьют. . . . Да. Сейча́с приду́! Я пошла́.[60] [Убега́ет.]

Наде́жда. Как весно́й запа́хло!

Капитоли́на Па́вловна. Опя́ть сквозняки́. . . .

Же́нщина. А в поля́х как ны́нче хорошо́ — весна́!

За́навес

Notes

1. На носу́: On (her) nose. A number of short masculine nouns, such as сад, пол, у́гол, край, etc. have a prepositional case ending (singular) of -у or -ю when used with the prep. в or на. Note that the termination is always accented.
2. Молодёжь (f.): Youth; young people. (Used collectively in the singular. Note: Мо́лодость (f.): youth; young in age.
3. А она́ где́-то но́сится: And she is somewhere gadding about; (she is running wild).
4. Ку́льтотде́л: Отде́л Культу́рно-просвети́тельной рабо́ты: Department of cultural education.
5. На́до тре́бовать: you must demand. An impersonal use of на́до meaning: ты должна́ тре́бовать.
6. Как вспо́мнишь: Come to think of it.
7. То́лку ма́ло: There's little sense . . . (of little use). The gen. case is used after an adverb of quantity. The ending -у or -ю instead of -а or -я is ordinarily used in the gen. case (singular) of masculine nouns denoting divisible matter. This ending of the partitive gen. case has been extended to other masculine nouns where there is no idea of partition: наро́ду, то́лку, etc.
8. Она́ соверше́нно отби́лась от рук: She is quite unmanageable, completely out of hand; (quite incorrigible.)
9. Что за вид!: What a sight! Look at yourself! The phrase что за followed by a noun in the nominative, commonly stands for "what a", "what sort of", "what kind of". This Russian locution is said to be derived from the German: Was für ein.
10. Ну како́е мне де́ло до како́го-то ви́да! What do I care how I look (about my appearance).
11. Приведи́ себя́ в поря́док: Fix yourself up! (Tidy yourself!)
12. Вот, полюбу́йся на э́ту неря́ху!: (Ironically) Feast your eyes on this spectacle! Just have a look at this uncouth creature!
13. Что с тобо́й?: What's the matter with you?
14. Хоть бы мне сто́лько!: I wish I were *that* (so old) old! (as old as you); мне and тебе́: the dat. is used in stating the age: тебе́ це́лых три́дцать пять. . . .
15. Э́то далеко́ не так хорошо́!: This is far from being good (well).
16. И . . . всё!: and that's all.
17. Я сейча́с же позвоню́ (по телефо́ну) А́нне Спиридо́новне: the dat. case is used: I'll call up (on the 'phone).
18. И всё ула́дится: And everything will be straightened out.
19. А тебе́ пора́ сади́ться за уче́бники: And it is time for you to begin your home work (to start studying).
20. Хва́тит болта́ться: Enough wasting your time! (It's time to stop being idle (get busy!).)
21. А им и де́ла нет: And they don't care (about it at all).

22. чем вы так за́няты?: what keeps you so busy? Lit.: with what are you so preoccupied?
23. тот са́мый, что . . .: in this relative clause что is used because it refers to the pronoun: тот.
24. при чём тут институ́т: What has the institute got to do here?
25. Кака́я я несча́стная!: How unfortunate I am!
26. Хоть ты уже́ на свои́х нога́х: At least you are on your own feet! (i.e., independent).
27. Ещё бы! I should say so! (Of course!) Is there any doubt about it?
28. Займи́сь де́лом: (imperative) Get busy!
29. Ты . . . вздор несёшь: You talk nonsense!
30. Что же ещё ну́жно?: What else does one (do you) want? (need) What else should one want?
31. Опо́мнись!: (imperative) Come to your senses! (Are you crazy?)
32. вы́йти (выходи́ть) за́муж: to get married.
33. у меня́ нет: I don't have. See note 8, p. 8.
34. два́жды за́мужем: twice married.
35. с положе́нием: a person of means, of good standing.
36. На тебя́ не угоди́шь: One can't please you. (You are hard to please.) Second person singular is often used in such impersonal constructions.
37. Занима́л разгово́ром: (he) entertained you with (polite) conversation.
38. Ей каково́?: How about her? How does (did) she feel about it?
39. Ты . . . мра́чно настро́ена: You are in a bad mood; you feel low.
40. Не на́до: We (you) must not! Don't!
41. Мне придётся отложи́ть: I shall have to put off . . . (postpone).
42. Ра́зве у тебя́ мо́жет быть друго́е мне́ние?: How can you possibly have a different opinion?
43. Вот тепе́рь и расхлёбывай э́ту ка́шу: Now try and clean up this mess.
44. с кем име́ет де́ло: with whom he has to deal.
45. Зна́чит, он тебя́ не сто́ит: It means that he is not worthy of you.
46. Что вам уго́дно?: (formal) What do you wish?
47. Вот как!: So this is how it is! (Also: Is that so!)
48. Ну что же: Well, what of it?
49. . . . по а́дресу попа́ла: I've come to the right place.
50. не обраща́я внима́ния на . . .: without paying attention to. . . .
51. А ещё говоря́т . . .: And they even say. . . .
52. Мне пло́хо: I am fainting.
53. Так вот что: This is what (I have to say).
54. Ко́лина ма́ма: See Note: p. 101.
55. Ну, как ты?: Well, how are you? (Familiar.)
56. Поди́-ка сюда́!: (Folk speech); иди́-ка: ка is used simply for emphasis.
57. Пуска́й себе́ е́дет: let him go. The idiomatic use of себя́ commonly used for emphasis: as for him, let him go. . . .
58. Никуда́ не де́нется: Nothing will happen to him. (He won't disappear.)
59. да быва́ет иногда́: but it does happen sometimes.
60. Я пошла́: I am going. (I am off.)

Вопро́сы

1. Кто Капитоли́на Па́вловна?
2. Что она́ де́лает?
3. Почему́ она́ вска́кивает и выбега́ет из ко́мнаты?
4. Кто вхо́дит в ко́мнату?
5. Почему́ Капитоли́на Па́вловна се́рдится?
6. Где рабо́тает Наде́жда?
7. Почему́ она́ опозда́ла?
8. О ком она́ говори́т с ма́терью?
9. Почему́ На́де нужна́ помо́щница?
10. Кто вбега́ет в ко́мнату?
11. Опиши́те, кака́я Ле́ночка.
12. Что с ней?
13. Почему́ она пла́чет? Что она́ говори́т сестре́?
14. Кому́ хо́чет позвони́ть Капитоли́на Па́вловна?
15. О ком говори́т Ле́на?
16. Как Ле́на разгова́ривает с ма́терью?
17. Где она́ была́? Заче́м она́ туда́ ходи́ла?
18. Почему́ На́дя даёт ка́пли ма́тери?
19. Что говори́т мать о Ле́ночке?
20. Како́й происхо́дит разгово́р ме́жду ма́терью и ста́ршей до́черью?
21. Почему́ Капитоли́на Па́вловна говори́т о мора́льных усто́ях?
22. Что случи́лось во вре́мя войны́?
23. О како́м сча́стье говори́т Наде́жда? Почему́?
24. Хо́чет ли Ле́на поступи́ть в педагоги́ческий институ́т?
25. Почему́ мать называ́ет её упря́мой девчо́нкой?
26. Кто вхо́дит в ко́мнату?
27. Как она́ разгова́ривает и с кем?
28. Почему́ она́ ва́лится в кре́сло и смеётся?
29. О ком говори́т Ле́на?
30. Почему́ Наде́жда сказа́ла: Как весно́й запа́хло!?

Черёмуха в Цвету

Черёмуха в Цвету́[1]

Н. Пого́дина

Ракитов Денис Денисович	— Геро́й Социалисти́ческого Труда́
Ната́ша—его́ дочь	студе́нты сельскохозя́йственной акаде́мии, вы́пускники
Ми́тя Юхтин	
Ла́сточкина Ли́за	— комсо́рг

Де́йствующие Ли́ца

Вре́мя де́йствия — на́ши дни

Тени́стый уголо́к большо́го па́рка. Сквозь за́росли черёмухи и ещё не распусти́вшейся сире́ни видна́ больша́я капита́льная и́згородь. Садо́вая скаме́йка. Со́лнечный день На сце́не **Ла́сточкина и Раки́тов.**

Ла́сточкина. [Продолжа́ет.] Вы не уста́ли, това́рищ Раки́тов? [взгляну́в на часы́] Мы хо́дим два с полови́ной часа́.

Раки́тов. Я? Что вы![2] Мы, алта́йцы, ходоки́.

Ла́сточкина. Я к тому́, что вы, ка́жется, к нам при́были пря́мо с аэродро́ма.

Раки́тов. Нет, заезжа́л в гости́ницу, чайку́ попи́л.

Ла́сточкина. Всё равно́ не шу́тка: лете́ть пять ты́сяч киломе́тров, да ещё, наве́рное, без привы́чки.

Раки́тов. Напро́тив, я лета́ю в како́й раз. Привы́к, да! Мне пря́мо-таки́ пришли́сь по душе́[3] эти пути́ за́облачные.

Ла́сточкина. [Она́ притоми́лась.] Мо́жет быть, всё же прися́дем здесь, в тени́. Э́тот уголо́к — люби́мое ме́сто на́шей молодёжи.

Раки́тов [огляде́вшись]. Ещё бы! Круго́м черёмуха в цвету́. Коне́чно, лу́чше тут поговори́ть, чем в помеще́нии.

[Садя́тся на скаме́йку.]

Позво́льте подыми́ть. Курю́ свой сорт. Алта́йский доморо́щенный. В помеще́нии им по́льзоваться невозмо́жно, посторо́нних с ног сшиба́ет,[4] а для курца́ безвре́ден, лишён никоти́на. [Заку́ривает тру́бку.]

Ла́сточкина [глотну́вши ды́ма]. Да, зна́ете ли . . . [Зака́шлялась до слёз.] Ну и си́ла . . . могу́ч![5]

Раки́тов. Извини́те. Направле́ние ве́тра не учёл. [Переса́живается.] Тепе́рь вам бу́дет безопа́сно. [Ку́рит с наслажде́нием.] Я ходи́л, пома́лкивал, тепе́рь вы́скажусь. Я ведь по-крестья́нски смотрю́ на де́ло. О́сенью ны́нешнего го́да испо́лнится два́дцать лет, как я на́чал свою́ колхо́зную биогра́фию. Вот смотрю́ я на ва́ши о́пытные поля́, экспериме́нты, парники́, лаборато́рии —— дух захва́тывает![6] Хожу́, дивлю́сь, а мы́сль сама́ по себе́ лети́т опя́ть же в на́ши Ма́лые Раки́ты, то есть в колхо́з ''Заве́ты Ильича́''. . . . Вот они́ каки́е есть, про́чные нау́чные осно́вы для колхо́за. Так и́ли не так, това́рищ Ла́сточкина?

Ла́сточкина. Нау́чные осно́вы —— э́то пра́вильно, но на́ша акаде́мия —— учрежде́ние мо́щное, общесою́зное. . . . Куда́ же колхо́зу,[7] да́же са́мому передово́му, хотя́ бы в ограни́ченных масшта́бах поста́вить таку́ю нау́чную рабо́ту?

Раки́тов. Эх, ми́лая, . . . Будь я помоло́же. . . .[8]

Ла́сточкина. Ну, а что тогда́?

Раки́тов. А то, това́рищ Ла́сточкина . . . извини́те, и́мени-о́тчества не зна́ю.

Ла́сточкина. Называ́йте про́сто Ли́зой.

Раки́тов. А то, ми́лая Ли́за, будь я годко́в на два́дцать помоло́же, мо́жет быть, око́нчил бы ва́шу акаде́мию и был бы давно́ профе́ссором.

Ла́сточкина. Но вы и без профе́ссорского зва́ния. . . .

Раки́тов. То ж, да не то ж. Я зна́ю о́бщие нача́ла. У вас в лаборато́риях то́лько чутьём дога́дываюсь, что к чему́. Агрономи́ческая нау́ка —— де́ло бездо́нное. Нет. Тут у вас я оконча́тельно утверди́лся в своём ста́ром убежде́нии.

Ла́сточкина. В како́м же?

Раки́тов. А в том, что мы по кра́йней ме́ре у себя́, в ''Заве́тах Ильича́'', подошли́ вплотну́ю к тако́й ста́дии разви́тия хозя́йства, когда́ наста́ло вре́мя хозя́йствовать на осно́ве са́мых вы́сших достиже́ний передово́й нау́ки. Хорошо́ бы, не откла́дывая де́ла, потолкова́ть с ва́шими учёными людьми́.

Ла́сточкина. А мы сейча́с пойдём к дире́ктору. Таки́х госте́й, как вы, у нас встреча́ют с удово́льствием. То́лько я ещё не представля́ю себе́, как вы собира́етесь ста́вить в колхо́зе нау́чную рабо́ту.

Раки́тов. Поговори́м, поду́маем. Скажи́те, как до́чка у́чится?

Ла́сточкина. Я всё вре́мя жду э́того вопро́са.

Раки́тов. Да я ведь зна́ю, она́ пи́шет. Врать не ста́нет, но и прове́рить не меша́ет.

Ла́сточкина. Ната́ша Раки́това — хоро́шая комсомо́лка и вообще́ в числе́ передовы́х студе́нтов. Прекра́сно у́чится.

Раки́тов [соглаша́ясь]. Она́ приле́жная.

Ла́сточкина [настоя́тельнее]. В числе́ отли́чников.

Раки́тов. Уси́дчивая деви́ца.

Ла́сточкина. Стра́нный вы, Дени́с Дени́сович. Хоть и нескро́мно, но хочу́ спроси́ть: вы до́чку свою́ лю́бите?

Раки́тов [споко́йно]. А что?[9] Не ра́дуюсь успе́хам? Так я же говорю́: Ната́лья у нас тру́женица. Так и в шко́ле её называ́ли. Не я оди́н её посла́л учи́ться, а о́бщее собра́ние арте́ли. Зна́ли, кого́ вы́брать. Её да Ми́тю Ю́хтина. А он как идёт?

Ла́сточкина [восто́рженно]. Он-то? [Спохвати́вшись.] Так же, как и Ната́ша.

Раки́тов [с хитрецо́й, оттого́ что мно́гое зна́ет]. Скажи́ пожа́луйста,[10] иду́т вро́вень? [Меня́я те́му.] Как не люби́ть дитя́ родно́е![11] Соску́чился.

Ла́сточкина. Соску́чились, а повида́ть Ната́шу не торо́питесь.

Раки́тов. А мо́жет быть, внача́ле мне на́до бы́ло вас повида́ть?

Ла́сточкина. Меня́?

Раки́тов. Вы свой наро́д должны́ знать.

Ла́сточкина. А что вас, со́бственно, интересу́ет?

Раки́тов. Не вы́шла ли она́, наприме́р, здесь за́муж?

Ла́сточкина. Спра́шиваете, а са́ми не ве́рите.

Раки́тов. Ма́ло ли что не ве́рю!

Ла́сточкина. Я не понима́ю, хорошо́ и́ли ду́рно, что Ната́ша не вы́шла за́муж?

Раки́тов. Е́сли чу́вство, любо́вь и всё—по-настоя́щему, с досто́инством, то почему́ же оно́ ду́рно? Пусть и выхо́дит за́муж.

Ла́сточкина [с досто́инством]. по-настоя́щему. . . . Нет, она́ не вы́йдет ско́ро за́муж.

Раки́тов. Вот тебе́ раз![12]

Ла́сточкина [уклo̍нчиво]. После́дний курс, госуда́рственные экза́мены. . . . Вы не мо́жете себе́ предста́вить, как они́ сейча́с рабо́тают.

Раки́тов. Как ни рабо́тай, а мо́лодость своё дикту́ет.

Ла́сточкина. Ах, Дени́с Дени́сович! Вот вы сказа́ли про настоя́щую любо́вь, с досто́инством, и пря́мо-таки́ попа́ли в то́чку.[13] Я и сама́ пережива́ю. . . .

Раки́тов. Любо́вь у вас?

Ла́сточкина. Не у меня́ — у них!

Раки́тов. У кого́ да у кого́?

Ла́сточкина. У Ната́ши и Дми́трия.

Раки́тов. Удивле́ние!

Ла́сточкина. Са́ми говори́те — мо́лодость.

Раки́тов. И всё же удиви́тельно.

Ла́сточкина. Почему́ же? Не понима́ю.

Раки́тов. Да росли́-то они́ вме́сте — мы на одно́й у́лице живём — и здесь у вас вме́сте четы́ре зимы́, и ничего́ похо́жего на жа́ркую симпа́тию не замеча́лось. А вот тепе́рь — бац![14] Бу́дьте здоро́вы![15] [Лука́вит, проверя́ет.] Серьёзности не ви́жу.

Ла́сточкина. В том-то и де́ло,[16] что серьёзно . . . да́же уж сли́шком. Скажи́те, что Ната́ша в свои́х пи́сьмах об э́том не писа́ла . . . мо́жет быть, ма́тери, намёком?

Раки́тов. Ни сло́ва.

Ла́сточкина. Позво́льте, а как же вы прослы́шали?

Раки́тов. Сторон́ой дошло́. Тут ведь у́чатся на́ши. . . .

Ла́сточкина. Так, поня́тно. Но ва́жно, что Ната́ша храни́т молча́ние.

Раки́тов. Почему́ же э́то ва́жно?

Ла́сточкина. Потому́, что э́то ещё раз подтвержда́ет, что ва́ша дочь — замеча́тельная де́вушка. Вы предста́вить себе́ не мо́жете, как ей тру́дно, но со свое́й доро́ги она́ не сверну́ла. Я Раки́тову за э́то ещё бо́льше уважа́ю и люблю́. Настоя́щий сове́тский челове́к с кре́пкими мора́льными усто́ями.

Раки́тов [стро́го]. Отку́да же ей друго́го-то набра́ться? Как-ника́к, а вы́росла в передово́м колхо́зе. То́лько вы уж о́чень превозно́сите её.

Ла́сточкина [сме́ло и серьёзно]. Вы люби́ли, това́рищ Раки́тов?

Раки́тов [ве́село]. Люби́л, това́рищ Ла́сточкина.

Ла́сточкина. О́чень?

Раки́тов. Дева́ться не́куда.[17] До́ смерти.[18]

Ла́сточкина. Я серьёзно говорю́.

Раки́тов. Ви́жу, что серьёзно.

Ла́сточкина. Так вспо́мните ту пору́.

Раки́тов. Да что же я, дре́вний старика́шка? Мох оди́н?

Ла́сточкина. Прости́те . . . Ва́жно, что́бы вы пове́рили, что здесь настоя́щее, глубо́кое, счастли́вое чу́вство.

Раки́тов. Ве́рю . . . о́чень понима́ю.

Ла́сточкина. Но де́ло в том, что им предстои́т расста́ться; в лу́чшем слу́чае,[19] лет на пять. Зна́чит, о жени́тьбе, о семье́ и ду́мать не́чего.[20] В о́бщем, всё э́то безнадёжно. Нет, Ната́ша, по-мо́ему, при́няла пра́вильное, му́жественное реше́ние.

Раки́тов. Како́е? Интере́сно.

Ла́сточкина. Я не хоте́ла бы говори́ть за неё.

Раки́тов. То́же ве́рно. [Поду́мав.] Одна́ко понима́ю. . . . Ну, а ве́рно, бу́дто Ми́тю Ю́хтина оставля́ют здесь, в Москве́?

Ла́сточкина. В то́м-то и де́ло, что оставля́ют.

Раки́тов. А он что же? Согла́сен?

Ла́сточкина. Ему́ как раз и предстои́т то са́мое бу́дущее, о кото́ром вы говори́ли. Го́да че́рез три-четы́ре он дости́гнет профе́ссорского зва́ния.

Раки́тов. Зна́чит, пошёл кре́пко?

Ла́сточкина. Он уже́ паралле́льно с госуда́рственными экза́менами гото́вится к нау́чной диссерта́ции.

Раки́тов. Тала́нтлив па́рень!

Ла́сточкина. Определённо.

Раки́тов [в разду́мье]. Е́сли так, то хорошо́. То́лько как же мы то? Жда́ли с большо́й наде́ждой: вот-де подоспе́ют на́ши молоды́е ка́дры. С почётом посыла́ли их . . . да. Они́ ведь сло́во да́ли приложи́ть все свои́ зна́ния на бла́го родно́го колхо́за.

Ла́сточкина. Дени́с Дени́сович, но слу́чай исключи́тельный. С ва́шей стороны́ бы́ло бы несправедли́во тре́бовать, что́бы Дми́трий Фоми́ч Ю́хтин е́хал рабо́тать рядовы́м агроно́мом к вам в колхо́з.

Раки́тов. Э́то коне́чно. Мы наме́тили для него́ друго́е. Мо́жет быть, на́ши наме́тки — одни́ фанта́зии, не зна́ю. . . . Не смогу́ ли я сего́дня же повида́ть зде́шних профессоро́в?

Ла́сточкина. Пожа́луйста. Пойдёмте пря́мо к дире́ктору.

Раки́тов. А при́мет?

Ла́сточкина. Вас? По-мо́ему, он ждёт.

Раки́тов. [Поднима́ется, озабо́ченно.] Спаси́бо, Ли́за, за хоро́ший, открове́нный разгово́р. А что-же всё-таки́ у нас получа́ется? Ю́хтина не отпуска́ют. Раз. Ната́лья к нему́ привя́зана. Два. Поло́жим, говори́те, она́ при́няла како́е-то реше́ние. Не оста́нется?

Ла́сточкина. Так ду́маю.

Раки́тов. А толк како́й? Ни два ни полтора́. . . .

[Ла́сточкина и Раки́тов ухо́дят. Появля́ется Ми́тя Ю́хтин с кни́гой. Сади́тся, чита́ет.]

Ната́ша. [За сце́ной.] Ми́тя, как насчёт обе́да?

[Па́уза. Вхо́дит Ната́ша.]

Ты слы́шишь?

Ми́тя. Слы́шу . . . Да.

Ната́ша. Идёшь обе́дать и́ли нет?

Ми́тя [кра́тко и с рассе́янностью]. Ната́ша, твой оте́ц прие́хал.

Ната́ша [почти́ по-де́тски]. Ой! . . . Ты его́ ви́дел?

Ми́тя. Нет.

Ната́ша. А кто тебе́ сказа́л?

Ми́тя. Ла́сточкина.

Ната́ша. Где же он?

Ми́тя. До́лжен быть на приёме у нача́льства. Всю ка́федру собра́л.

Ната́ша. У нача́льства? . . . Стра́нно. Ума́ не приложу́,[21] что означа́ет его́ прие́зд.

Ми́тя. Дела́.

Ната́ша. Ты счита́ешь?

Ми́тя. У него́ всегда́ дела́.

Ната́ша. А ты не поду́мал, что э́ти дела́ мо́гут име́ть прямо́е отноше́ние к нам?

Ми́тя. Ра́зве? . . . Нет, не поду́мал.

Ната́ша [нево́льно улыбну́вшись]. Ми́тя, ты ча́сто забыва́ешь о реа́льной, бу́дничной действи́тельности. Мне иногда́ ка́жется, что ты и меня не ви́дишь.

Ми́тя. Тебя́? Ну что ты! Я тебя́ ви́жу всегда́, да́же в стака́не ча́ю.

Ната́ша. Спаси́бо. О́чень поэти́чно.

Ми́тя. А то рабо́таю и мы́сленно веду́ с тобо́й диало́г.

Ната́ша [с усме́шкой]. Интере́сно, на каки́е те́мы?

Ми́тя. Так, одна́ ли́рика. А ли́рику, как говори́т Бели́нский,[22] мо́жно сравни́ть с одно́й му́зыкой.

Ната́ша. Ох э́та ли́рика, ох му́зыка! [Вдруг ре́зко отстраня́ется от Ми́ти.] Не на́до бо́льше никако́й ли́рики.

Ми́тя. Что э́то ты? . . .

Ната́ша. Пусть на́ша ли́рика оста́нется в душе́, как му́зыка. Не на́до бо́льше никаки́х встреч.

Ми́тя [с беспоко́йством]. Бою́сь, что кто-то совраща́ет тебя́ с и́стинного пути́ . . . и́ли . . . [Замолка́ет.]

Ната́ша. А что же ещё?

Ми́тя́. . . . и́ли ты всё э́то преувели́чиваешь.

Ната́ша [я́сно, споко́йно, рассуди́тельно]. Вот и́менно. . . . Я до́лго ду́мала о своём и́стинном пути́. Твой путь тепе́рь определи́лся, а мой — для меня́ давно́ я́сен. Ты остаёшься в акаде́мии, а я е́ду в Ма́лые Раки́ты агроно́мом.

Ми́тя. Но почему́ тебе́ необходи́мо е́хать?

Ната́ша. Я с де́тства мечта́ла стать агроно́мом в колхо́зе. Понима́ешь? Но ты предста́вь себе́ обра́тную ситуа́цию: мне предлага́ется оста́ться здесь для нау́чной рабо́ты, а тебе́ — нет. А ты влюблён, жить без меня́ не мо́жешь. Неуже́ли ты счита́л бы возмо́жным отказа́ться от люби́мого де́ла, от своего́ призва́нья ра́ди того́, что́бы быть вме́сте?. . .

Ми́тя. Ната́ша, заче́м говори́ть о веща́х невозмо́жных? Ты берёшь немы́слимые кра́йности.

Ната́ша [с до́лей гне́ва]. Ах, тебе́ невозмо́жно? Немы́слимая кра́йность? А мне возмо́жно? Я же́нщина. . . . И, как говори́ли в старину́, должна́ прилепи́ться к му́жу.

Ми́тя [почти́ кричи́т]. Я же не говорю́, что ты должна́!

Ната́ша. Не говори́шь, но ду́маешь. Так вот, мой ми́лый Ми́тенька, ка́ждый из нас пойдёт сво́им и́стинным путём.

Ми́тя [ещё трево́жнее]. Ната́ша, пойми́. Путь у нас оди́н.

Ната́ша. То́лько геогра́фия не схо́дится, пять ты́сяч киломе́тров.

Ми́тя. Хотя́ бы де́сять . . . ну и что же?[23] Ра́зве мо́гут географи́ческие расстоя́ния погаси́ть моё чу́вство?

Ната́ша. ‘‘Разлу́ка уно́сит любо́вь. . . .’’

Ми́тя. ‘‘Не ве́рю, не ве́рю кова́рным наве́там. Мы сно́ва обни́мем друг дру́га’’.

Ната́ша [ла́сково и го́рько]. Ми́тя, а когда́ бу́дет э́то ‘‘сно́ва’’?

Ми́тя [чуть поду́мав]. Писа́ть дессерта́цию я пое́ду к нам, в Ма́лые Раки́ты, а о́сенью уе́ду защища́ть.

Ната́ша. А пото́м оста́нешься при ка́федре, начнёшь преподава́ние. Пото́м пойду́т се́ссии, конфере́нции, но́вые зада́чи, огро́мная рабо́та. . . . Ты сде́лаешься доце́нтом, профе́ссором, акаде́миком. . . . И встре́тимся мы сно́ва старичка́ми.

Ми́тя [почти́ в у́жасе]. Ната́ша! Нет, ты шу́тишь! Ты с ума́ сошла́![24] Я не хочу́ никаки́х старичко́в.

Ната́ша. Но так оно́ и бу́дет. По́этому я реши́ла твёрдо, оконча́тельно . . . [с улы́бкой] как говоря́т девча́та в дере́вне ‘‘нам э́то ни к чему́.’’[25]

Ми́тя. Легко́ сказа́ть!

Ната́ша. Не о́чень.

Ми́тя. А говори́шь. Да́же шу́тишь. Оби́дно.

Ната́ша. Ми́тя, ми́лый ты мой, а что же де́лать? Мне ра́достно, что ты тако́й одарённый ю́ноша.

Ми́тя. Ты меня́ убеди́ла в э́том. Не тако́й уж одарённый.

Ната́ша. Оста́вь.

Ми́тя. Ну хорошо́. Пусть одарённый. Но ты всё вре́мя меня́ убежда́ешь, что я до́лжен, до́лжен обяза́тельно оста́ться.

Ната́ша. И бу́ду убежда́ть и говори́ть. Не могу́ я не ра́доваться твои́м успе́хам. Э́то вполне́ есте́ственно. Но та́кже, ми́лый мой, есте́ственно, что мне о́чень не сла́дко. Остаю́тся одни́ го́рькие шу́тки.

Ми́тя [вдруг]. Да почему́ сего́дня, и́менно сейча́с ты говори́шь об э́том? Что случи́лось?

Ната́ша. Оте́ц прие́хал, вот почему́.

Ми́тя. Оте́ц . . . что ж тако́го, что оте́ц? Я ему́ скажу́. . .

Ната́ша. Что ты ему́ ска́жешь?

Ми́тя. Не зна́ю. Я поду́маю.

Ната́ша. Ничего́ ты не приду́маешь.

Ми́тя. Не торопи́сь ты то́лько руби́ть с плеча́.[26]

Ната́ша. Ты до́лжен оста́ться здесь, а я должна́ уе́хать на Алта́й. Пе́ред тобо́й широ́кая нау́чная рабо́та, а у меня́ путь колхо́зного агроно́ма. Тут как-нибу́дь не вы́йдет.[27]

Ми́тя. Но, мо́жет быть, Дени́с Дени́сович нам что́-нибудь присове́тует. Че́стное сло́во, он умне́е нас с тобо́й.[28]

Ната́ша. Ни в ко́ем слу́чае![29] Сказа́ть отцу́: ''Папа́ша, я влюби́лась'', — сгори́шь от одного́ стыда́.

Ми́тя. Дени́с Дени́сович поймёт. Ра́зве он заскору́злый челове́к, со ста́рыми поня́тиями? Нет, не тако́й он челове́к.

Ната́ша. В том-то и де́ло, что у него́ но́вые поня́тия. И никогда́ он ли́чные вопро́сы не поста́вит вы́ше о́бщих. И неспроста́ он на приёме у нача́льства и неспроста́ не повида́лся с на́ми.

Ми́тя. Что ты предлага́ешь?

Ната́ша. Ни в каки́е на́ши чу́вства я посвяща́ть его́ не бу́ду. Ни к чему́.[30] А е́сли он что́-нибудь и зна́ет, пря́мо отве́чу: ничего́ нет. Тем бо́лее, что э́то соотве́тствует действи́тельности! Коне́ц! Коне́ц! Дово́льно! [Прислу́шивается.] Он . . . факт! Его́ смех! Не нас ли и́щут?

Ми́тя [с отча́янием]. Ната́ша, уйдём, поговори́м, вы́ясним всё, а пото́м с ним встре́тимся.

Ната́ша. Тепе́рь не уйдёшь. Там стена́.

Ми́тя. Так спря́чемся пока́. Сде́лай мне э́то ма́ленькое одолже́ние. Ведь э́то же неве́рно, что коне́ц.

Ната́ша. Ох, беда́ с тобо́й! Куда́ же спря́таться?

Ми́тя. Вот за э́ти кусты́.

Ната́ша. Отту́да не́ту хо́да.

Ми́тя. Ничего́, переси́дим . . . Скоре́й . . . и ни сло́ва! Как же так — коне́ц? Невозмо́жно . . . Немы́слимо. . . .

[Пря́чутся. Вхо́дят Раки́тов и Ла́сточкина.]

Раки́тов. Тут не́ту никого́.

Ла́сточкина. Стра́нно. Я из окна́ ви́дела, как Ю́хтин прошёл в парк. Зна́чит, ушли́ обе́дать.

Раки́тов [с иро́нией]. Интере́сно: обе́дать хо́дят па́рочкой.

Ла́сточкина. Вы, Дени́с Дени́сович, я ви́жу, недово́льны.

Раки́тов. Поку́да и ра́доваться не́чему. Слыха́л я, наприме́р, бу́дто не́которые ба́рышни стремя́тся да́же за́муж вы́скочить, что́бы прожива́ть в це́нтре.

Ла́сточкина. Во-пе́рвых, э́то не типи́чно и таки́е деви́цы случа́йно попада́ют в ву́зы, а во-вторы́х Ната́ша. . . .

Раки́тов. Ох, не захва́ливайте! До того́ хороша́ она́ у нас выхо́дит, хоть в ра́му вставля́й.

Ла́сточкина. На́до разыска́ть их, а то уйду́т на ле́кцию.

Раки́тов. Хорошо́. Вы пока́ им ничего́ не сообща́йте. А вам говорю́: принево́ливать не ста́ну. Пусть остаю́тся в акаде́мии. Но от своего́ реше́ния не отсту́пимся. Е́жели ничего́ не вы́йдет с на́шими, то у вас же найдём други́х люде́й.

Ла́сточкина. Сейча́с всё э́то вы́яснится.

Раки́тов. Ну я тут посижу́.

[Ла́сточкина ухо́дит. Тогда́ Раки́тов замеча́ет за куста́ми пря́чущихся, сади́тся, набива́ет свою́ тру́бку, дыми́т. Че́рез не́которое вре́мя в куста́х раздаётся ка́шель.]

Раки́тов. Ока́зия. . . . [Помолча́в.] Кто тут? . . . А? . . .

[Молча́ние. Тогда́ Раки́тов ку́рит свою́ тру́бку с я́вным наме́рением вы́курить неви́димых сосе́дей. Сно́ва раздаётся ка́шель.]

Раки́тов. Да кто там му́чается? Ка́шляет ведь, а молчи́т. Е́жели я меша́ю, то я уйду́ . . . А? . . . Уйти́ мне?[31] Говори́те.

[Из кусто́в выбега́ет Ми́тя, и Раки́тов не нахо́дит слов от изумле́ния.]

Ми́тя. Ну, зна́ете ли, и таба́к. . . .

Раки́тов [в тон ему́]. Ну, зна́ете ли, и ока́зия! . . .

[Молча́ние.]

С како́й же ста́ти[32] ты там сиде́л?

Ми́тя. Да вот сиде́ли. . . .

Раки́тов. Позво́ль, геро́й, ты, зна́чит, не оди́н?

Ми́тя [поспе́шно]. Нет, нет. . . .

Раки́тов. Зна́чит, па́рочкой?

Ми́тя. Нет, нет . . . вы заблужда́етесь.

Раки́тов. Уж я не зна́ю, кто из нас заблужда́ется. . . . Что ж э́то, Дми́трий Фоми́ч? Ты здесь в почёте . . . и на́те вам,[33] в куста́х хоро́нится.

Ми́тя [с опа́ской огляну́вшись на кусты́]. Пойдёмте . . Что здесь де́лать?

Раки́тов. Нет, заче́м же? Обеща́л здесь Ната́лью ждать.

Ми́тя. Ра́зве?

Раки́тов [с иро́нией]. Бу́дто не слыха́л?

Ми́тя. [споко́йно.] В о́бщем, всё э́то не ва́жно.

Раки́тов. Я то же ду́маю. Сади́сь. Не ку́ришь?

[Ми́тя Отрица́тельно трясёт голово́й.]

А я изба́ловался с ма́лых лет. Тепе́рь уж меня́ никако́й таба́к не берёт,[34] кро́ме со́бственной селе́кции. Старики́ сове́туют [Ку́рит и уси́ленно дыми́т.] толчёное буты́лочное стекло́ подбавля́ть — не про́бо́вал.

[Йз-за кусто́в слы́шен ка́шель.]

Ну, кто там, во второ́м эшело́не? Пожа́луйте сюда́.[35] А то и вы́курю. . . .

[Па́уза. Зате́м из кусто́в выхо́дит Ната́ша.]

Ната́ша [шёпотом]. Вот како́й у́жас. . . .

Раки́тов. Ната́лья?

[Молча́ние.]

Ну, что же ты молчи́шь? Пода́й хоть го́лос.[36] Мо́жет, э́то и не ты?

Ната́ша [сокрушённо]. Я, папа́ша, я. Здра́вствуйте.

Раки́тов [с не́жностью и ю́мором]. Здра́вствуй, любе́зная, здра́вствуй, ди́тятко. [Це́лует её в лоб.] Раз уж попа́лись, то и ти́кали бы от греха́.

Ната́ша [жа́лобно]. Не́куда ти́кать. Тут загоро́жено.

Раки́тов. Ну, тогда́, коне́чно, положе́ние безвы́ходное. То́лько не пойму́ я, от кого́ же вы скрыва́лись? Не от меня́ ли?

Ната́ша [смеле́е]. Папа́ша, в о́бщем, э́то ме́лочь. . . .

Раки́тов. Позво́льте, как же ме́лочь? Хоть вы друзья́ — прия́тели, но всё же оно́ как-то не того́. . . .[37] [Стро́го.] Ми́трий! Ишь ты,[38] молчи́т и улыба́ется. Чего́ молчи́шь?

Ми́тя. Э́то недоразуме́ние. Я винова́т.

Раки́тов. На́до же кому́-то вини́ться. . . .

Ми́тя. Вы не в ку́рсе де́ла.

Раки́тов. Нет, извини́те, по́лностью в ку́рсе.

Ната́ша. Одно́ несча́стье. Ну, хорошо́, мы спря́тались от вас, хоте́ли пережда́ть, пока́ уйдёте.

Раки́тов. Тогда́ вопро́с — ра́ди чего́?

Ната́ща. Ах, одна́ глу́пость!

Раки́тов. Ой-ли?

Ната́ша [пря́мо, да́же стро́го]. А что ино́е?

Раки́тов. Жаль, что не догада́лся, а то бы я вас тут до́лго помане́жил. Ну, что же тепе́рь бу́дем де́лать?

Ната́ша. То есть как, не понима́ю.

Раки́тов [лука́во]. Чего́ же тут не понима́ть? Как воспрети́шь, к приме́ру, цвести́ черёмухе и петь соловья́м. . . .

Ната́ша. У вас како́е-то фриво́льное настрое́ние.

Раки́тов. Что, что? Скажи́ по-ру́сски.

Ната́ша. Фриво́льное — зна́чит легкомы́сленное.

Раки́тов. Так-так . . . Они́ по ку́стикам скрыва́ются, а я, выхо́дит, легкомы́сленный. . . . [Ми́те.] Как э́то называ́ется?

Ми́тя. Э́то, коне́чно, демаго́гия.

Раки́тов. Вот ве́рно. [не теря́я лука́вого ю́мора] Эх, вы, ча́душки драгоце́нные!

Ната́ша. Что́бы вы́вести вас из заблужде́ния и ко́нчить э́тот разгово́р, я заявля́ю. . . .

Раки́тов. [Перебива́ет.] А я ещё разгово́ра как сле́дует быть и не начина́л. Тебе́, Ната́лья, полага́ется отне́киваться. Стесня́йся и молчи́. Пусть Ми́трий говори́т.

Ми́тя. Что же я бу́ду говори́ть?

Раки́тов. [Начина́ет серди́ться.] Да что вы, в са́мом де́ле, бу́дто несоверше́ннолéтние. Коро́че говоря́, я зна́ю всё.

Ната́ша [с до́лей го́речи]. Ми́лый мой папа́ша, э́то была́ одна́ леге́нда. Мы — друзья́, росли́ вме́сте, тепе́рь мне Ми́тя ча́сто помога́ет. . . . Одна́ леге́нда, и бо́льше ничего́.

Раки́тов [охо́тно]. Вот я и удивля́юсь, ми́лые мои́, леге́нде на́до бы получи́ться го́дика три тому́ наза́д, когда́ вам бы́ло по девятна́дцать. А тут ско́лько лет проучи́лись ря́дом, и на́ тебе́[39] — леге́нда.

Ната́ша. Вот челове́к како́й![40] Опя́ть своё. Я говорю́ вам я́сно, что всё, о чём вы ду́маете, есть одно́ сочини́тельство.

Раки́тов [вдруг с доса́дой, Ми́те]. Я с не́ю не хочу́ бесе́довать. Дава́й с тобо́й. Ишь ты, уткну́лся в кни́жку,[41] бу́дто посторо́ннее лицо́. Нет, ты, бра́тец, говори́, а то я в са́мом де́ле рассержу́сь.

Ми́тя [не сдержа́вши вздо́ха]. Ната́лья Дени́совна вам я́сно говори́т. . . .

Раки́тов. Когда́, бра́тец, я́сно говоря́т, то и взор обя́зан быть откры́тым, я́сным. А вы глаза́ отво́дите. Не те у вас глаза́.

Ми́тя. Э́то уж то́нкости, Дени́с Дени́сович.

Раки́тов. Каки́е то́нкости, когда́ вы врать не уме́ете!

Ната́ша [твёрдо]. Вот что,[42] папа́ша: глаза́, слова́ — всё э́то несуще́ственное. Есть жизнь, реа́льность. И е́сли вы зна́ете всё, то должны́ та́кже знать, что бы́ло бы нера́зумно мне и Ми́те дава́ть во́лю чу́вствам. Я серьёзно говорю́, оте́ц.

Раки́тов [с улы́бкой]. Доро́ги разошли́сь?

Ната́ша. Быва́ют обстоя́тельства важне́й и вы́ше ли́чных привя́занностей. А раз они́ важне́й и вы́ше, то, зна́чит, э́ти обстоя́тельства и есть по-настоя́щему ли́чные. . . . Я не про нас, а вообще́.

Раки́тов. И как же при таки́х ва́жных обстоя́тельствах на́до поступа́ть? Я не про вас, а вообще́.

Ната́ша. Мы лю́ди до́лга.

Раки́тов. Кре́пко.

Ната́ша. С вас беру́ приме́р.

Раки́тов. Ну, поло́жим, у нас полу́чше есть приме́ры.

Ната́ша. А ва́ша жизнь есть часть мое́й.

Раки́тов [дово́лен]. Ишь ты как![43] . . . [Погляде́в на Ми́тю.] Ты, брат, вы́брал . . . да . . . ничего́ не ска́жешь. . . .[44]

Ната́ша. По-мо́ему, вам тепе́рь всё я́сно.

Раки́тов. Я́сно, я́сно. Но помолчи́ пожа́луйста. На́до потолкова́ть с ним. Ну ты, молча́льник, дава́й поговори́м всётаки́.

Ми́тя. О чём, Дени́с Дени́сович?

Раки́тов. О де́ле, Дми́трий Фоми́ч.

Ми́тя. Пожа́луйста.

Ната́ша. Ми́тю оставля́ют в акаде́мии.

Раки́тов [рассерди́вшись]. Ната́лья, ты не лезь! Без тебя́ всё зна́ю. Но мо́жет же он сло́во по де́лу вы́говорить и́ли нет? Ведь ему́ ле́кции лю́дям чита́ть придётся. [Ми́те.] Как же ты прочтёшь ле́кцию?

Ми́тя [мя́гко, с улы́бкой]. Как-нибу́дь прочту́.

Раки́тов [помолча́в]. Интере́сный ты челове́к. . . . Ну, ла́дно. Ты сообража́ешь, заче́м я сюда́ прилете́л?

Ната́ша. Поня́тия не име́ем.

Раки́тов. Опя́ть она́, а тот молчи́т. [Взмоли́лся.] Ми́трий, я уж уста́л с тобо́й!

Ми́тя. Я вас слу́шаю, Дени́с Дени́сович.

Раки́тов. Что мне из того́,[45] что ты слу́шаешь? Я сам хочу́ тебя́ послу́шать. Ты по́мнишь, како́е постановле́ние колхо́зники вы́несли, когда́ вас посыла́ли учи́ться?

Ми́тя. По́мню.

Раки́тов. Како́е?

Ми́тя. Вы же зна́ете.

Раки́тов. Я-то зна́ю. Интере́сно, зна́ешь ли ты?

Ми́тя. Коне́чно.

Раки́тов. А ну́-ка, припо́мни.

Ми́тя. В о́бщем, мы обеща́ли верну́ться на рабо́ту в свой колхо́з.

Раки́тов. И э́то всё?

Ми́тя. В о́бщем да.

Раки́тов. Плоха́я же у тебя́ па́мять.

Ната́ша. Папа́ша, у Ми́ти па́мять исключи́тельная.

Раки́тов. А вот посмо́трим. [Ле́зет в карма́н пиджака́, вынима́ет объёмистую записну́ю кни́жку, достаёт отту́да пожел те́вшую бума́гу, развёртывает.] Вот мы сейча́с, как говори́тся, вернёмся к про́шлому. Бума́га э́та тепе́рь истори́ческая. Писа́лась пять лет тому́ наза́д. Прошу́ внима́тельно послу́шать. Предисло́вие пропу́стим. К де́лу.[46] [Чита́ет.] ''О́бщее собра́ние сельскохозя́йственной арте́ли ''Заве́ты Ильича́'' села́ Ма́лые Раки́ты постановля́ет: Пе́рвое. Заплани́ровать на ближа́йшее бу́дущее перестро́йку земледе́лия на про́чной нау́чной осно́ве. Второ́е. Для э́той це́ли ежего́дно из дохо́дов арте́ли выделя́ть осо́бый де́нежный фонд на организа́цию о́пытной нау́чно — иссле́довательской ста́нции, целико́м и по́лностью свя́занной с колхо́зным произво́дством. Тре́тье. Посла́ть в Москву́ в вы́сшую шко́лу се́льского хозя́йства лу́чших вы́пускников''. [Перестаёт чита́ть.] Э́то бы́ли вы.

[Па́уза.]

Ната́ша. [**Ми́те.**] Э́то что-то друго́е. . . .

Ми́тя [с интере́сом, серьёзно]. Дени́с Дени́сович, да́йте мне проче́сть.

Раки́тов. [Передаёт бума́гу.] Зна́чит, забы́ли.

Ната́ша. Поло́жим . . . А кто винова́т?

Раки́тов. Тот и винова́т, кто забы́вчив.

Ната́ша. Нет, вы са́ми винова́ты.

Раки́тов. Почему́, у́мница?

Ната́ша. А потому́, что вы и всё ва́ше правле́ние как бу́дто позабы́ли об э́том постановле́нии. Ни ра́зу по́сле я ничего́ и не слыха́ла о нём. Непра́вда?

Раки́тов [лука́во]. Пра́вда.

Ната́ша Почему́ же до сих пор вы пома́лкивали?

Раки́тов. А заче́м пре́жде вре́мени говори́ть?

Ната́ша. Всё у вас как-то не про́сто.

Раки́тов. Про́сто живу́т воробьи́ да воро́ны. Подожда́ть на́до бы́ло да посмотре́ть, что из вас полу́чится.

Ната́ша. Вон как![47]

Раки́тов. А как же?[48] Тепе́рь на́шего бра́та одни́м вы́сшим образова́нием не удиви́шь.

Ната́ша. Поня́тно . . . Недове́рчивый вы челове́к.

Раки́тов. А ты соobража́ешь, како́е де́ло хоти́м вам дове́рить? Лу́чше снача́ла прове́рить, а пото́м дове́рить.

Ми́тя [делови́то, жи́во]. Вы же, как же практи́чески толку́ете нау́чную рабо́ту?

Раки́тов. Э́то уж не мы обя́заны толкова́ть, а вы.

Ми́тя. А сре́дства выделя́лись?

Раки́тов. Вот наконе́ц заговори́л! А как же. Сам зна́ешь колхо́з лет двена́дцать из миллионе́ров не выхо́дит.

Ми́тя. Зна́ю. Но нау́чно-иссле́довательская рабо́та бы́стро не окупа́ется. Быва́ют и убы́точные затра́ты.

Раки́тов [с усме́шкой]. Вот каку́ю но́вость ты мне откры́л! А я и не знал.

Ми́тя [жи́во.] Ната́ша!

Ната́ша. А?

Ми́тя. Де́ло суще́ственно меня́ется.

Ната́ша. Я начина́ю понима́ть.

Ми́тя. Действи́тельно, в то вре́мя я не мог усво́ить всего́ значе́ния. . . . Резолю́ция — и всё! Тако́е реше́ние меня́ет де́ло. Нам, Дени́с Дени́сович, надо поговори́ть с руководи́телями акаде́мии.

Раки́тов. А я уж говори́л.

Ната́ша. И что ж они́?

Раки́тов. Отпуска́ют. . . . Там бу́дут усло́вия для нау́чной рабо́ты. . . . В Ма́лые Раки́ты пое́дет с ва́ми большо́й учёный.

Ми́тя. Поня́тно.

Ната́ша. Ми́тя?

Ми́тя. А?

Ната́ша [сде́рживая ра́дость]. Что ж тако́е получа́ется?

Ми́тя. Ко́нчим акаде́мию, полу́чим дипло́м и пое́дем домо́й. Вот и всё.[49] Как у вас там с электри́чеством?

Ната́ша. Ты в са́мом де́ле рассе́янный. . . . Ведь тре́тий год, как электрифици́ровано.

Ми́тя. Ну что же. . . . О́чень хорошо́. Я согла́сен.

Ната́ша. Ты сча́стлив?

Ми́тя. Что ж тут говори́ть!

Раки́тов. А погоди́те-ка. . . . [Помолча́л, погля́дывая на них.] Что-то уж о́чень легко́ меня́ет Ми́трий акаде́мию на Ма́лые Раки́ты.

Ми́тя. Меня́ю? Ра́зве? Нет, э́то не так.

Раки́тов. Как же не так, е́сли тебя́ закрепля́ли здесь?

Ми́тя. Э́то не име́ет суще́ственного значе́ния.

Раки́тов. Не говори́те. Я сам оста́лся бы при э́той акаде́мии. О́чень легко́ меня́ешь больша́к на ма́лую тропи́нку.

Ната́ша. Не понима́ю, вы до чего́ хоти́те докопа́ться?

Раки́тов. Скажу́ вам напрями́к, е́жели тут игра́ет роль не сама́ рабо́та, а что-то друго́е, то, как хоти́те, я бу́ду про́тив. Так и скажу́ лю́дям. Ты сча́стлива, он сча́стлив. . . . А я по́слан сюда́ не за тем, что́бы устра́ивать вам ли́чное сча́стье.

Ми́тя. [Внача́ле говори́т споко́йно, пото́м с горя́чностью.] Вы, Дени́с Дени́сович, неве́рно ду́маете о нау́ке . . . поотста́ли. Вы да́же ещё и не представля́ете себе́, что мо́жно созда́ть в ''Заве́тах Ильича́''. Да понима́ете ли вы, что любо́й настоя́щий учёный в о́бласти се́льского хозя́йства сочтёт за сча́стье порабо́тать на тако́й нау́чной ба́зе . . . е́сли э́то бу́дет, да ещё в тако́м колхо́зе, как ''Заве́ты Ильича́''. . . .

Раки́тов. Бу́дет, бу́дет.

Ми́тя. А я ещё птене́ц. Я то́лько-то́лько начина́ю. Но мы за жи́зненную, нова́торскую нау́ку. Вы са́ми написа́ли пять лет тому́ наза́д, что вам нужна́ нау́ка, помога́ющая стро́ить коммуни́зм! Как же нам с Ната́шей не говори́ть о своём сча́стье? Как не уви́деть сра́зу грома́дной перспекти́вы? Вести́ нау́чную рабо́ту, то есть иска́ть, учи́ться, обобща́ть и внедря́ть но́вое в жизнь. Дени́с Дени́сович, наве́рно, вы отли́чно понима́ете, что э́то зна́чит?

Раки́тов. Вот ты како́й молча́льник.

Ната́ша. Никако́й он не молча́льник. Про́сто он не лю́бит неинтере́сных разгово́ров.

Раки́тов [дово́лен]. Хорошо́. Да. Убеди́ли. Вы, зна́чит, никаки́х осо́бенных симпа́тий друг к дру́гу не пита́ете, кро́ме о́бщих интере́сов. Молодцы́! Так и запи́шем. Пусты́е разгово́ры я, коне́чно, у себя́ до́ма прекращу́. Ничего́ не́ было, не́ту и не бу́дет.

Ми́тя. Гм . . . да. . . . Вы шу́тите?

Раки́тов. Заче́м шути́ть? Шути́ть не на́до.

Ми́тя. Нет, вы смеётесь!

Раки́тов. Вот положе́ние! Ната́лья то́лько что убежда́ла меня́ в заблужде́нии, тепе́рь опя́ть глаза́ опуска́ет. Кто же шу́тит? Я пройду́сь по доро́жке, а вы уж са́ми разбери́тесь.

Ната́ша. Неуже́ли вам так ва́жно э́то знать?

Раки́тов. Ва́жно. Любо́вь — свято́е де́ло. Вы-то са́ми понима́ете, как на вас бу́дет смотре́ть наш рядово́й колхо́зник, како́й приме́р для молодёжи? Нет, шу́тки в сто́рону.

[Па́уза.]

Ната́ша. Ми́тя, не молчи́, сейча́с нельзя́ молча́ть.

Ми́тя. Ра́зве я молчу́? Мне ка́жется, что я пою́, танцу́ю. . . . Ра́зве нет? Дени́с Дени́сович, ра́зве вам э́то нея́сно?

Раки́тов. Я́сно, я́сно. Эх ты, мо́лодость! Цветы́ в большо́м саду́.

[Появля́ется Ла́сточкина.]

Ла́сточкина. Вот и разы́скивай э́тих друзе́й!!

Раки́тов. Без обе́да бе́дные оста́лись. Не пла́чьте. Я вас ны́нче угощу́ в соли́дной рестора́ции.

Ната́ша. Ну, что за выраже́ние . . . рестора́ция.

Раки́тов. Опя́ть не так.[50] [Любу́ясь и́ми.] До чего́ перемени́лись о́ба! Бу́дто уж не на́ши, не раки́тинские. Ничего́ не ска́жешь. Интеллиге́нция.

Ми́тя. Как — не на́ши? Э́то вы напра́сно.

Ната́ша. Раки́тинские, и горди́мся, что раки́тинские.

Ла́сточкина [с озабо́ченностью]. Ну, раки́тинские, я разгова́ривала с на́шими хозя́йственниками. Ох, мно́го де́нег ну́жно! На пе́рвых пора́х для развёртывания рабо́ты на́до вложи́ть полмиллио́на. Спра́витесь ли? Вы́держит ли бюдже́т?

Раки́тов. Скажи́, кака́я расчётливая. А мы то́же счита́ть уме́ем. С на́ми в пая́х иду́т сосе́ди. Удиви́те их миллио́ном. Не зна́ете, в како́й стране́ живём?

Ла́сточкина. [Ми́те.] Э́то бу́дет опо́рным пу́нктом акаде́мии. Доце́нт Каза́рин — специали́ст по алта́йскому степно́му земледе́лию — е́дет с ва́ми.

Ната́ша. Вот жизнь кака́я! Не ве́рится.

Раки́тов. [Ла́сточкиной.] Мы-то спра́вимся, а спра́вятся ли они́?

Ла́сточкина. По ло́гике веще́й, спра́вятся.

Раки́тов. Зна́ете ли вы, как драгоце́нно для колхо́зника, что вот из на́ших дете́й вы́шли сто́ящие лю́ди. Я вот доро́гой кни́жечку купи́л "Честь смо́лоду". Проче́сть не успе́л, а назва́нье хоро́шее. Честь смо́лоду — э́то ведь зало́г почёта у наро́да. А что быва́ет вы́ше, чем любо́вь и уваже́ние наро́да?

[Звонки́ вдали́.]

По-мо́ему, звонки́? Ну, молодёжь, вы ступа́йте на свои́ заня́тия, а мы с Ли́зой отпра́вимся разреша́ть вся́ческие вопро́сы. . . . Серьёзные дела́, больши́е и, пря́мо скажу́, ра́достные.

[Раки́тов и Ла́сточкина ухо́дят. Раки́тов огля́дывается. Ната́ша и Ми́тя заде́рживаются.]

Ната́ша. Мы сле́дом, мы сейча́с. . .

Ми́тя. Лети́м.

Ната́ша. Ми́тя! Скажи́ . . . о чём ты ду́маешь сейча́с?

Ми́тя. [Смеётся.] Мы́сли, понима́ешь ли, уже́ бегу́т вперёд, что, где, как устро́ить . . . захва́тывает.

Ната́ша. Ско́лько но́вого, неслы́ханного впереди́! Большо́е сча́стье вы́пало на на́шу до́лю.[51]

Ми́тя. Друг ты мой . . . люби́мая!

За́навес

Notes

1. В цвету́: in flower; flowering.
2. Что вы! Do you mean it? (Far from it.)
3. . . . пришли́сь по душе́: (they are) to my liking.
4. С ног сшиба́ет: (so strong that) it knocks one off one's feet.
5. Ну и си́ла . . . могу́ч!: What power (strength) . . . terrific!
6. . . . дух захва́тывает: it takes one's breath away.
7. Куда́ же колхо́зу. . . . How can a Kolkhoz measure up to it. One is not equal to do it.
8. Будь я помоло́же: Were I a little younger.
9. А что?: And what about it?
10. Скажи́ пожа́луйста!: Do tell! (You don't say . . .)
11. Как не люби́ть дитя́ родно́е!: One can't help loving one's own child.
12. Вот тебе́ раз!: That's a good one! Expression of disappointment: Just what does it mean?
13. и . . . попа́ли в то́чку: . . . and you hit the nail. . . .
14. А вот тепе́рь — бац!: And now here — smack! (bang!) бац: abbreviation: ба́цнуть: to slap; to hit; to bang.
15. Бу́дьте здоро́вы!: ironical in this case: That's a fine how do you do!
16. В том-то и де́ло: That's just it. (The crux of the matter is that . . .)
17. Дева́ться не́куда: There was (is) no getting away from it. . . .
18. До́ смерти люби́л: (I was) madly in love.
19. В лу́чшем слу́чае: at best.
20. . . . и ду́мать не́чего: you shouldn't even think of it.
21. Ума́ не приложу́: I can't imagine; I have not the least idea.
22. В.Г. Бели́нский: (1810–48) The well known Russian literary critic.
23. Ну и что же?: Well, what of it?
24. Ты с ума́ сошла́: You are out of your mind! (You are crazy!)
25. Нам э́то ни к чему́: It's of no use to us.
26. руби́ть с плеча́: lit.: to strike from the shoulder: to hit hard; to do something rashly.
27. тут как-нибудь не вы́йдет: In this case, somehow, things won't come out right.
28. Он умне́е нас с тобо́й: He is wiser than we are.
29. Ни в ко́ем слу́чае: See Note 40, p. 99. Also: Nothing doing!
30. Ни к чему́: It's no use. (It's of no use).
31. Уйти́ мне! Shall I go away?
32. С како́й ста́ти: For what reason. . . .
33. . . . и на́те вам: и на́-те вам: There you are. . . . Expression of surprise.
34. Меня́ никако́й таба́к не берёт: No other (any kind of) tobacco has any effect on me.
35. Пожа́луйте сюда́: Do come out here.
36. Пода́й хоть го́лос: (imperative) Let me at least hear you (your voice).
37. Оно́ как-то не того́ . . .: This somehow does not seem to. . . .
38. Ишь ты (вишь ты): (Folk speech) Look at him! (at her).

39. . . . и на тебе: . . . and just look (also: and there you have it).
40. Вот челове́к како́й: What a man!
41. Ишь ты, уткну́лся в кни́жку: Just look at him, with his nose in the book!
42. Вот что: Now look; now listen.
43. Ишь ты как . . .: See Note 38, p. 64.
44. . . . ничего́ не ска́жешь: Nothing can be said about it.
45. Что мне из того́: What do I get out of it (the fact that . . .); What do I care. . . .
46. К де́лу: (Let's) get down to business.
47. Вон как!: So that's how it is!
48. А как же?: But how else?
49. Вот и всё: That's all there is!
50. Опя́ть не так: Wrong again.
51. Большо́е сча́стье вы́пало на на́шу до́лю: Great happiness (luck) has come our way. (Great opportunity has fallen into (has come) our life (lot).)

Вопро́сы

1. С кем разгова́ривает комсо́рг?
2. Что Ли́за Ла́сточкина предлага́ет Раки́тову?
3. Како́е э́то вре́мя го́да?
4. Как Раки́тов говори́т о колхо́зе "Заве́ты Ильича́"?
5. О ком он спра́шивает у Ли́зы?
6. Как у́чится Ната́ша?
7. Почему́ Ната́ша ещё не вы́шла за́муж?
8. Что тако́е настоя́щая любо́вь, по мне́нию Ла́сточкиной?
9. Како́е реше́ние приняла́ Ната́ша?
10. Почему́ хотя́т оста́вить Ми́тю Ю́хтина в Москве́?
11. К кому идёт Раки́тов?
12. Како́й разгово́р происхо́дит ме́жду Ми́тей и Ната́шей?
13. Как Ми́тя говори́т о своём чу́встве?
14. Почему́ он ду́мает, что Ната́ша сошла́ с ума́?
15. Куда́ они спря́тались?
16. Кто вхо́дит?
17. Что хо́чет сде́лать Раки́тов?
18. Что он услы́шал, когда́ закури́л свою́ тру́бку?
19. Кто выбега́ет и́з-за кусто́в? Почему́?
20. Почему́ Ната́лья то́же выхо́дит к отцу́?
21. О како́м недоразуме́нии говори́т Ми́тя?
22. Что зна́чит фриво́льное настрое́ние? Почему́ Ната́ша э́то сказа́ла?
23. Что называ́ет Ната́ша леге́ндой?
24. Почему́ Раки́тов рассерди́лся?
25. О каки́х обстоя́тельствах говори́т Ната́ша?
26. Како́й разгово́р у Раки́това с Ми́тей?
27. Что Раки́тов чита́ет? О ком?
28. Каку́ю ста́нцию хотя́т устро́ить в колхо́зе?
29. Кто поѐдет в Ма́лые Раки́ты? На каку́ю рабо́ту?
30. Почему́ Ната́ша говори́т, что "большо́е сча́стье" вы́пало на их до́лю?

Слу́чай на Ста́нции

Слу́чай на Ста́нции[1]

Пье́са В. Иса́ева

Де́йствующие Ли́ца

Ма́ша
Леони́д
Одинцо́в
Баге́тов

Ко́мната буфе́та на при́городной железнодоро́жной ста́нции. В глубине́ окно́, выходя́щее на перро́н, в це́нтре — четы́ре сто́лика и сту́лья, спра́ва — вход, сле́ва — прила́вок, под ова́льным стекло́м которо́го разло́жены гастрономи́ческие, конди́терские и таба́чные изде́лия.

[Ма́ша — стро́йная, милови́дная де́вушка стои́т за прила́вком, склони́вшись над счётами.]

[Вхо́дит Баге́тов — челове́к сре́дних лет, с пы́шной, но уже́ заме́тно поседе́вшей шевелю́рой. В рука́х у Баге́това портфе́ль и чемода́н, че́рез плечо́ перебро́шен небре́жно сло́женный макинто́ш.]

Баге́тов. [Проходя́ ме́жду сто́ликами, задева́ет чемода́ном стул.] А, ч-чёрт! . . . [Поста́вив чемода́н на́ пол, поднима́ет упа́вший стул.] Жигулёвское есть?

Ма́ша. Пожа́луйста.

Баге́тов. Две буты́лки и бутербро́д с сы́ром. [Бро́сив портфе́ль и макинто́ш на стул, шагну́л к прила́вку, но споткну́лся о чемода́н.] Тьфу, дья́вол! . . . [Су́нув чемода́н под стол, идёт к прила́вку и достаёт де́ньги.]

Ма́ша. То́лько что разменя́ла сто рубле́й! Мо́жет быть, поме́льче дади́те?

Баге́тов [поры́вшись в карма́нах]. Нет. Не хвата́ет.

Ма́ша. И у меня́ не хва́тит.

Баге́тов. Наторгу́ете! [Взяв буты́лки, стака́н и таре́лку с бутербро́дом, направля́ется к сто́лику.] Мне тут до по́езда сиде́ть придётся.

Ма́ша. Э́то всего́ мину́т де́сять.[2]

Баге́тов. Как бы не так! . . .[3]

Ма́ша. Я име́ю в виду́[4] при́городный по́езд, да́льние здесь вообще́ не остана́вливаются, ста́нция ведь да́чная.

Баге́тов [с раздраже́нием]. А да́чные поезда́ отменя́ют за́просто. Пове́сили бума́жку и. . . .

[Вхо́дит Одинцо́в — молодо́й лейтена́нт желе́зно-доро́жной мили́ции.]

Одинцо́в. Двух поездо́в не бу́дет!

Ма́ша. Неужéли!

Одинцо́в. Па́чку ''Беломо́ра'' и спи́чки.

Баге́тов. И нашли́ же когда́ отмени́ть![5] В суббо́ту! Пока́ по́езда дождёшься, в го́роде все учрежде́ния закро́ются.

Ма́ша. [Одинцо́ву.] Не смо́жете разменя́ть сто рубле́й?

Одинцо́в. Ка́жется . . . сейча́с посмотрю́. [Баге́тову.] Вы ошиба́етесь, граждани́н. Действи́тельно, по техни́ческим причи́нам отменя́ются два по́езда, но за́втра, в воскресе́нье. [Подава́я Ма́ше де́ньги.] Пожа́луйста.

Ма́ша. Вот спаси́бо!

Баге́тов. Что за чёрт! . . . Я же сам, вот сейча́с, у ка́ссы ви́дел объявле́ние!

Одинцо́в. Очеви́дно, вы не обрати́ли внима́ния на число́.

Ма́ша. [Подхо́дит к Баге́тову.] Пожа́луйста, получи́те сда́чи.

Баге́тов. [Одинцо́ву.] Ни черта́ не понима́ю![6] Кто же из нас ошиба́ется?

Одинцо́в. Да поéзд ужé . . . слы́шите? По́езд ужé бли́зко, сейча́с бу́дет здесь.

Ма́ша [прислу́шиваясь]. Ве́рно! . . . [Идёт за прила́вок.] Электри́чка!

Одинцо́в. Да́же две! Они́ в э́то вре́мя здесь встреча́ются.

Баге́тов. Ч-чёрт! . . . На́до ещё успе́ть биле́т взять! [Схвати́в макинто́ш и портфе́ль, идёт к прила́вку.] Дава́йте скоре́е сда́чи!

Ма́ша. Как! . . . Я положи́ла вам на стол!

Баге́тов. Ра́зве? [оберну́вшись.] Извини́те. [Возвраща́ется к сто́лику и, су́нув де́ньги в карма́н, броса́ется к вы́ходу.]

Ма́ша [проводи́в Баге́това взгля́дом].[7] Ну и рассе́янный![8]

[Одинцо́в замя́лся, ви́димо, не реша́ясь что-то сказа́ть.]

Ма́ша. И вам сда́чи дала́. Вот.

Одинцо́в. Вы . . люби́те Шекспи́ра? ''Роме́о и Джулье́тта'', наприме́р?

[Ма́ша — безмо́лвное изумле́ние.]

Одинцо́в. Премье́ра в городско́м теа́тре, а у меня́ . . . вот, два биле́та. Пойдёмте!

Ма́ша. Нет, нет.

Одинцо́в. Прошу́ вас!

Ма́ша. Ну что вы в са́мом де́ле![9] Ведь да́же и́мени-то моего́ не зна́ете.

Одинцо́в. Ма́ша . . . а меня́ зову́т Никола́й[10] . . . Одинцо́в. . .

Ма́ша. О́чень прия́тно,[11] но я не и́мею вре́мени, за́нята.

[Молча́ние. За окно́м нараста́ет шум приближа́ющегося по́езда.]

Одинцо́в. А мо́жет быть, зара́нее усло́вимся? Когда́ у вас свобо́дный ве́чер?

Ма́ша. Не зна́ю.

Одинцо́в. Ну хоть приблизи́тельно!

Ма́ша. Возмо́жно, совсе́м не бу́дет!

Одинцо́в. Как же так! . . .

Ма́ша. Никогда́ не бу́дет.

Одинцо́в [машина́льно ко́мкая биле́ты]. Поня́тно. . . .

Ма́ша [ука́зывая на смя́тые биле́ты]. Ну, к чему́ э́то![12] Не мо́жете вы что ли пригласи́ть ещё кого́-нибу́дь?

Одинцо́в. Не могу́. Для меня́ ваш ка́ждый выходно́й. . . . Э́то пы́тка. Я не могу́, пойми́те, не могу́ це́лый день не ви́деть вас.

Ма́ша [ре́зко]. Никогда́ мне ничего́ подо́бного не говори́те. Никогда́!

Одинцо́в. Да́же? . . .

Ма́ша. И́менно. Я выхожу́ за́муж.

Одинцо́в [покачну́вшись, как от уда́ра]. Прости́те. . .

Ма́ша. Пожа́луйста.

[В окне́ замелька́ли ваго́ны подоше́дшего и замедля́ющего ход по́езда.]

Одинцо́в. Даю́ сло́во, бо́льше не войду́ сюда́, не подойду́, но [тяжело́ переводя́ дыха́ние][13] . . . е́сли к вам придёт беда́, е́сли вам потре́буется по́мощь. . . .

Ма́ша. Неуже́ли он! [Бежи́т к окну́.] Так и есть![14] Леони́д! [От окна́ броса́ется к две́ри и, распахну́в её, ра́достно ма́шет руко́й, но вдруг замира́ет в неподви́жности.] Безу́мец! . . .

[Возвраща́ется за прила́вок.]

[Кру́то поверну́вшись, Одинцо́в пошёл к две́ри. Навстре́чу ему́ вхо́дит Леони́д — скро́мно оде́тый молодо́й челове́к с больши́м цвети́стым журна́лом в руке́, кото́рый он де́ржит, как портфе́ль.]

Ма́ша. Ну, что с тобо́й де́лать![15] Ведь умоля́ла же не пры́гать на ходу́!

Леони́д. Прости́. . . .

Ма́ша. Нет, нет, хва́тит!

Леони́д. Я ведь то́же проси́л подожда́ть меня́ у́тром. . . .

Ма́ша [всплесну́в рука́ми]. Неуже́ли приезжа́л!

Леони́д. Ещё по доро́ге в институ́т. . . .

Ма́ша. Ну, не безу́мец ли! . . . На после́днем авто́бусе уе́хал, а чуть свет уже́ верну́лся!

Леони́д. Куда́ ты исче́зла в э́такую рань?

Ма́ша. Да по твое́й же про́сьбе за биле́тами е́здила!

Леони́д. На "Роме́о и Джулье́тту"?

Ма́ша. Ну да![16] Пе́рвой заняла́ о́чередь у ка́ссы и доста́ла на премье́ру.

Леони́д. Ма́шенька!

Ма́ша. Но скажи́ на ми́лость,[17] заче́м ты. . . .

[Смо́лкнув, Ма́ша оберну́лась на звук шаго́в. Э́то стоя́вший, как извая́ние, Одинцо́в вдруг стреми́тельно вы́шел.]

Леони́д [взгляну́в на свои́ часы́]. Тебе́ же закрыва́ть пора́!

Ма́ша. И ве́рно! Запира́ет дверь на ключ.

Леони́д. Сто́лики я вы́тру.

Ма́ша. [Идёт за прила́вок.] Да! Заче́м ты у́тром приезжа́л?

Леони́д. Хоте́л обеща́ние вы́полнить. Ты ведь проси́ла привезти́ что-нибу́дь почита́ть. Достаёт журна́л.

Ма́ша. Что э́то? . . . Опя́ть "Аме́рика"?

Леони́д. Он са́мый![18] Тща́тельно вытира́ет сто́лик.

Ма́ша [перекла́дывая бутербро́ды с блю́да на таре́лку]. Мо́жно ли в нём почерпну́ть что́-нибу́дь поле́зное?

Леони́д. Ты не ду́маешь? [Подхо́дит к прила́вку, берёт журна́л и перели́стывает его́.] Вот! О́черк в по́езде прочтёшь, а сейча́с взгляни́ на сни́мки то́лько. Ну посмотри́ же! . . . Э́тот челове́к око́нчил лишь ку́рсы электросва́рщиков. Но . . . вот одна́ из пяти́ ко́мнат его́ со́бственного до́ма . . . Неду́рно? А э́то он прие́хал на рабо́ту в со́бственной а́втомаши́не. Пока́ доста́точно?

Ма́ша. Вполне́.

Леони́д. Что ска́жешь?

Ма́ша. Подожди́, дай поду́мать.

Леони́д [возвраща́ясь к сто́лику]. А изда́ние-то како́е! Прия́тно в ру́ки взять.

Ма́ша [продолжа́я свою́ рабо́ту]. Пожа́луйста, найди́ в них что-нибу́дь о положе́нии безрабо́тных и дай мне почита́ть, я бу́ду о́чень благода́рна!

Леони́д. Ты что? Серьёзно?

Ма́ша. Вполне́. И е́сли не вы́полнишь мое́й про́сьбы. . . . Извини́, я начну́ на́шу жизнь с того́, что вы́брошу э́ти журна́лы. . . .

Леони́д. Ма́шенька!

Ма́ша. На э́ту те́му, Лёня, разгово́р око́нчен.

Леони́д. Но. . . . [убира́я посу́ду со сто́лика, за кото́рым сиде́л Баге́тов.] Но, понима́ешь. . . .

Ма́ша. Пойму́ пото́м, когда́ испо́лнишь мою́ про́сьбу. . . .

Леони́д [урони́в стака́н]. Эх! . . . [смущённо.] Вдре́безги! . . .

Ма́ша. Нет, ты уж лу́чше посиди́, я сама́ упра́влюсь. . . .

Леони́д [вдруг, ра́достно]. Ма́шенька! Ведь э́то к сча́стью!

Ма́ша. Мне и без тако́го сча́стья рабо́ты хва́тит.

[Выхо́дит и́з-за прила́вка с ве́ником и совко́м.]

Леони́д. Дава́й я уберу́![19]

Ма́ша. Ла́дно уж. . . . Склони́лась, что́бы замести́ оско́лки Что тако́е? . . .[20] [ука́зывая под стол.] Смотри́.

Леони́д. Э́то чей же?[21]

Ма́ша. Не зна́ю. . . .

Леони́д. [Вынима́ет из-по́д стола́ чемода́н.] Ого́! . . . Утюги́ в нём что ли. . . .

Ма́ша. Ка́жется здесь. . . . Ну, да! Здесь рассе́янный сиде́л.

Леони́д. Како́й рассе́янный?

Ма́ша [не отве́тив]. Ну, до чего́ э́то не во́-время. . . .

Леони́д. А тебе́-то что?[22] Придёт владе́лец и отдашь.

Ма́ша. Е́сли он заста́нет нас. А нет — так придётся в ка́меру нахо́док е́хать.

Леони́д. Тащи́ться в го́род с ним?!

Ма́ша. Не то́лько. Там како́е-то оформле́ние тре́буется.

Леони́д. Ну нет, ду́дки![23] Я на э́то не согла́сен!

Ма́ша. Но е́сли здесь це́нное что-нибу́дь! Представля́ешь состоя́ние челове́ка, когда́ он. . . .

Леони́д. Ма́шенька! Я сам на ста́нции ви́дел, как у одного́ да́чника чемода́н откры́лся и по перро́ну карто́шка покати́лась! Возмо́жно, и тут кака́я-нибу́дь дрянь, а мы и́з-за нее вре́мя потеря́ем.

Ма́ша. Так что же де́лать?

Леони́д [поду́мав]. Сейча́с реши́м. [положи́в чемода́н на стул.] Не за́перт. . . .

Ма́ша [схвати́в Леони́да за́ руку]. Лёня! Удо́бно ли э́то?

Леони́д. Пустяки́, мы же не собира́емся стащи́ть что-нибу́дь. [Поднима́ет кры́шку.]

[Вздро́гнув, Ма́ша перево́дит широко́ откры́тые глаза́ на Леони́да, кото́рый сло́вно окамене́л, склони́вшись над чемода́ном. Молча́ние.]

Ма́ша [уви́дев, что Леони́д опуска́ет ру́ку в чемода́н, мгнове́нно захло́пнула кры́шку]. Остава́йся, не выходи́.

Леони́д [прерыва́ющимся от волне́ния го́лосом]. Куда́ ты?

Ма́ша. Звони́ть . . . [запира́я чемода́н.] В мили́цию. . . .

Леони́д. Подожди́!

Ма́ша. Что?

Леони́д. Мы . . . [Пыта́ясь овладе́ть собо́й.] оши́блись . . . нам показа́лось. . . .

Ма́ша [неуве́ренно]. Нет. . . . Нет, нет. . . .

Леони́д. Но. . . . [открыва́я чемода́н.] Но как мо́жно забы́ть![24] Оста́вить! . . .

Ма́ша. Не зна́ю. . . .

Леони́д. Ведь э́то . . . [вы́нув из чемода́на оклее́нную бандеро́лью па́чку де́нег.] Э́то же . . . не зо́нтик!

Ма́ша. [Достаёт из чемода́на таку́ю же па́чку и чита́ет.] ‘‘Ба́нковские биле́ты . . . сто рубле́й. . . .’’ [Перево́дит вопроси́тельный взгляд на Леони́да.]

Леони́д [то́же чита́ет]. ‘‘Сто листо́в на су́мму де́сять ты́сяч’’.

[Вдруг броса́ет па́чку в чемода́н, выхва́тывает из рук Ма́ши другу́ю и, бро́сив её туда́ же, захло́пывает кры́шку.]

Скоре́е! Пока́ не верну́лся!

Ма́ша. Да, да. . . . [Идёт к две́ри.]

Леони́д. Стой! [Схвати́в чемода́н за ру́чку, шагну́л наперере́з Ма́ше, но кры́шка откры́лась, и на́ пол с глухи́м шу́мом посы́пались туги́е па́чки де́нег.]

Ма́ша. Лёня! . . .

Леони́д [дрожа́щим го́лосом]. Дверь . . . Я запира́л, но. . . .

Ма́ша. Заче́м ты. . . .

Леони́д. Прове́рь! . . . Скоре́е! . . . [Упа́в на коле́ни, трясу́щимися рука́ми швыря́ет де́ньги в чемода́н.]

Ма́ша. За́перта.

Леони́д [продолжа́я собира́ть де́ньги]. Остава́йся . . . пока́ не вернётся . . . так лу́чше . . . не заподо́зрят. . . .

Ма́ша. Что?!

Леони́д. Скажи́ . . . не заме́тила . . . не зна́ешь . . . и всё. . . .

Ма́ша. Ты, ты хо́чешь. . . .

Леони́д. Не бо́йся, ему́ не пове́рят, никто́ не пове́рит, так не быва́ет. . . .

Ма́ша. Опо́мнись! Лёня!

Леони́д. Ти́ше! [с опа́ской озира́ясь на окно́.] Ра́ди бо́га . . . ти́ше. . . .

Ма́ша. Нет, нет! Ты не сде́лаешь э́того. . . .

[Собра́в де́ньги, Леони́д захло́пывает кры́шку, но она́ упира́ется в набро́санные ку́чей па́чки, и он ника́к не мо́жет запере́ть чемода́н.]

Ма́ша. Отойди́! [Подня́в кры́шку, торопли́во укла́дывает де́ньги сто́пками.]

Леони́д [помога́я]. То́лько успе́ть бы, то́лько успе́ть . . . и тогда́. . . .

Ма́ша. Замолчи́!

Леони́д. Ма́ша . . . Ма́шенька . . . Неуже́ли ты. . . .

Ма́ша. Замолчи́ же!

Леони́д [прерыва́ющимся шёпотом]. Смотри́ . . . ка́ждые де́сять па́чек . . . сто ты́сяч. . . . Сто! А их здесь. . . .

Ма́ша [уложи́в после́днюю па́чку, захло́пывает кры́шку].

Леони́д. Наконе́ц-то. . . . [Схвати́л чемода́н за ру́чку.]

Ма́ша. Не сме́й! [С неожи́данной для Леони́да си́лой рвану́ла чемода́н к себе́ и отошла́.]

Леони́д. Ты что?

Ма́ша [пыта́ясь пройти́ к две́ри]. Пусти́!

Леони́д [оттесня́я Ма́шу за сто́лики]. То́лько не шуми́ . . . ра́ди бо́га, не шуми́. . . .

Ма́ша. Пусти́ же! Пус. . . .

[Ре́зким движе́нием Леони́д зажа́л Ма́ше ладо́нью рот. Отшатну́вшись, она́ наткну́лась на стул, опроки́нула себе́ по́д ноги и, вы́ронив чемода́н, упа́ла на́ пол. Леони́д с опа́ской оберну́лся к окну́, пото́м бро́сился к нему́, дёрнул за шнур и пло́тно закры́л его́ што́рой. Поднима́ясь, Ма́ша схвати́ла чемода́н, и, не выпуска́я его́ из рук, прижа́лась спино́й к прила́вку.]

Леони́д. [Тяжело́ дыша́, ме́дленно приближа́ется к Ма́ше.] Я не то́лько себе́ . . . всё бу́дет на́ше . . . кляну́сь. . . .

Ма́ша. Не подходи́! [Стреми́тельно перебежа́ла за сто́лик.]

Леони́д [продолжа́я приближа́ться]. Пойми́, дороги́ секу́нды . . . тако́е не повтори́тся. . . .

[Ма́ша перехо́дит за сто́ликом так, что́бы он остава́лся ме́жду Леони́дом и е́ю.]

Леони́д [обхо́дит сто́лик, вытира́я ладо́нью вы́ступивший на лбу пот]. Ну, чего́ ты[25] . . . дай то́лько взять из него́ . . . взять хотя́ бы. . . .

[Не спуска́я с Леони́да широко́ откры́тых глаз, Ма́ша ста́вит чемода́н и, вдруг рвану́вшись бежи́т к две́ри. Бро́сившийся за ней Леони́д натыка́ется на сту́лья, с гро́хотом па́дает, но сра́зу вска́кивает. Одна́ко Ма́ша уже́ отперла́ дверь и вы́бежала. Одно́ мгнове́ние растеря́вшийся Леони́д не дви́гается с ме́ста, пото́м, схвати́в чемода́н, то́же бежи́т к две́ри, но тут же остана́вливается, как вко́панный. По́сле коро́ткого колеба́ния он броса́ет чемода́н на стул, открыва́ет его́ и суёт в карма́ны па́чки де́нег, суёт до тех пор, пока́ его́ не осеня́ет мысль,[26] что в карма́нах мо́жет умести́ться лишь небольша́я часть содержи́мого чемода́на. Оки́нув ко́мнату и́щущим взгля́дом, Леони́д броса́ется за прила́вок, открыва́ет холоди́льник и с пани́ческой поспе́шностью швыря́ет в него́ па́чку за па́чкой. Разгрузи́в карма́ны, опя́ть ки́нулся к чемода́ну, но в э́то вре́мя за две́рью послы́шались голоса́. Захло́пнув чемода́н, Леони́д отска́кивает в сто́ронуg Вхо́дят Ма́ша и Одинцо́в.]

Ма́ша [подойдя́ к чемода́ну]. Вот.

Одинцо́в. [Оки́дывает ко́мнату внима́тельным взгля́дом и с недоуме́нием ука́зывает на опроки́нутые сту́лья.] А э́то почему́?

Ма́ша [растéрянно]. Я . . . убира́лась, закрыва́ла. . . .

[Леони́д со вздо́хом облегче́ния тяжело́ опуска́ется на стул.]

Одинцо́в. [Подойдя́ к окну́, отки́дывает што́ру.] Дверь запри́те, пожа́луйста. [От окна́ подхо́дит к чемода́ну, поднима́ет кры́шку и, сло́вно не ве́ря свои́м глаза́м, перево́дит вопроси́тельный взгляд на Ма́шу.] Призна́ться . . . о таки́х слу́чаях не слы́шал да́же. . . . [Закрыва́ет чемода́н.] Вы твёрдо уве́рены, что э́то оста́вил и́менно тот, о ком вы сказа́ли?

Ма́ша [не сра́зу]. Тепе́рь я ни в чём не уве́рена. . . . Хотя́ . . . Да, да! Он, когда́ вошёл, опроки́нул стул чемода́ном, а вы́бежал без него́. Э́то уже́ вы са́ми ви́дели.

Одинцо́в. Е́сли он спохвати́лся в по́езде, то, . . . [смолк, прислу́шиваясь.] Электри́чка! . . . Где стоя́л чемода́н?

Ма́ша [ука́зывая под стол]. Здесь.

Одинцо́в. Дверь отопри́те. [Поста́вив чемода́н под стол.] Я пока́ вы́йду.

Ма́ша [испу́ганно]. Почему́?

Одинцо́в. Вряд ли э́то касси́р и́ли ба́нковский рабо́тник. Ещё, чего́ до́брого,[27] отка́жется от своего́ чемода́на. Нет, я войду́ по́сле него́. [Идёт к две́ри.]

Леони́д. Посто́йте! [Внеза́пная мысль испуга́ла его́ самого́, и он смо́трит на Одинцо́ва, не реша́ясь говори́ть да́льше.]

Одинцо́в [внима́тельно пригля́дываясь к Леони́ду]. Я слу́шаю.

Леони́д [задыха́ясь от волне́ния]. К вам . . . он не подойдёт . . . е́сли . . . [ука́зывая на чемода́н], е́сли возьмёте вы. . . .

Одинцо́в. Я и не беру́ пока́.

Леони́д. Но там . . . со́тни ты́сяч . . . со́тни. . . .

Одинцо́в [насторожи́вшись]. Так что же?

Леони́д. И то́лько мы . . . тро́е[28] зна́ем . . . всего́ тро́е. . . .

[Шум по́езда стреми́тельно нараста́ет.]

Одинцо́в [подойдя́ к Леони́ду вплотну́ю]. Вы что хоти́те сказа́ть? [ре́зко.] Что?

Леони́д [заика́ясь]. Н-ничего́ . . . я . . . н-ничего́. . . .

[В окне́ замелька́ли ваго́ны подоше́дшего и замедля́ющего ход по́езда. Оки́нув Леони́да суро́вым взгля́дом, Одинцо́в поспе́шно выхо́дит. Оцепене́вшая Ма́ша смо́трит на Леони́да так, сло́вно впервы́е его́ уви́дела и проглоти́в ком в го́рле, отвора́чивается.]

[Шу́мно распахну́в дверь, вхо́дит Баге́тов. Оберну́вшись, Ма́ша поспе́шно вытира́ет слёзы.]

Баге́тов. Ч-чёрт бы взял мою́ рассе́янность! . . . [вынима́я и́з-под стола́ чемода́н.] Как прокля́тый рабо́тал це́лую неде́лю и оста́вил под столо́м! [С чемода́ном идёт к Ма́ше, протя́гивая ей ру́ку.] Спаси́бо за сохра́нность!

Ма́ша. Пожа́луйста.

Баге́тов [заме́тив, что Ма́ша е́ле сде́рживает слёзы].[29] Да вы уж . . . не и́з-за меня́ ли задержа́лись? А?

Ма́ша. Нет . . . нет, нет. . . .

[Баге́тов перево́дит вопроси́тельный взгляд на пони́кшего Леонида, пото́м на Ма́шу и, почу́вствовав себя́ ли́шним, поклони́вшись, идёт к две́ри.]

[Вхо́дит Одинцо́в и запира́ет дверь на ключ. Изумлённый Баге́тов остана́вливается.]

Одинцо́в. Предъяви́те докуме́нты, граждани́н.

Баге́тов [расте́рянно]. Что?

Одинцо́в. Предъяви́те докуме́нты, удостоверя́ющие ва́шу ли́чность.

Баге́тов. [Пожа́в плеча́ми, ста́вит чемода́н на́ пол и ро́ется в карма́нах.] Па́спорт до́ма. Вот, служе́бное удостовере́ние.

Одинцо́в [раскры́в ма́ленькую кра́сную кни́жечку]. Фами́лия?

Баге́тов. Вы ра́зве негра́мотный?

Одинцо́в [споко́йно]. Отвеча́йте, пожа́луйста! Фами́лия?

Баге́тов [опя́ть пожа́в плеча́ми]. Баге́тов.

Одинцо́в. И́мя, о́тчество?

Баге́тов. Бори́с Влади́мирович. А в чём де́ло?

Одинцо́в. Ме́сто рабо́ты?

Баге́тов [вдруг взорва́вшись]. Худо́жник я! Худо́жник ки́нофа́брики. Там всё напи́сано. В чём де́ло, спра́шиваю?[30]

Одинцо́в. Успоко́йтесь. Что у вас в чемода́не?

Баге́тов. Моя́ проду́кция! Хоти́те убеди́ться? [Положи́в чемода́н на стул, открыва́ет.] Пожа́луйста, мо́жете любова́ться!

Одинцо́в. Не понима́ю . . . Отку́да у вас таки́е де́ньги?

Баге́тов. Де́ньги?! . . . Но э́то же . . . [изумлённо.] Да вы ника́к их при́няли за настоя́щие!

Одинцо́в. [опе́шив.] А ра́зве они́ . . . фальши́вые?

Баге́тов [со сме́хом]. Вот так но́мер![31] . . . Э́то же бутафо́рия! Для съёмки кру́пным пла́ном! [Достаёт из чемода́на па́чку.] Смотри́те. [Срыва́ет бандеро́ль.] Отде́лано лишь с одно́й стороны́. . . . И вот ещё.[32] А ме́жду ни́ми . . . пожа́луйста, ста́рые афи́ши. . . . Ну? Убеди́лись?

Одинцо́в. [Мо́лча берёт из чемода́на другу́ю па́чку, срыва́ет бандеро́ль и, уви́дев то же са́мое, растéрянно улыба́ется.] Извини́те. . . .

Баге́тов. Наде́юсь, тепе́рь вопро́сов нет?

Одинцо́в [возвраща́я Баге́тову его́ удостовере́ние]. Извини́те, това́рищ. . . .

Баге́тов [рассмея́вшись]. Да не смуща́йтесь! Де́ньги — мой конёк! . . . [Закры́в чемода́н, вынима́ет портсига́р.]

Одинцо́в. Действи́тельно, высо́кий класс рабо́ты. . . .

Баге́тов [похло́пывая себя́ по карма́нам[33] в по́исках спи́чек]. Мне уже́ приходи́лось де́лать фра́нки, ли́ры, кро́ны, до́ллары и. . . . [взяв предло́женные ему́ спи́чки.] Спаси́бо. И все бы́ли лу́чше настоя́щих! . . . [Прикури́в, кладёт спи́чки Одинцо́ва в свой карма́н.] Честь име́ю![34]

Одинцо́в. До свида́ния.

Баге́тов. [Ма́ше.] Всего́ хоро́шего![35] [Берёт свой чемода́н и выхо́дит.]

Одинцо́в [оберну́вшись к Ма́ше и Леони́ду]. Д-да. . . . [Не найдя́, что сказа́ть, то́же выхо́дит.]

[Молча́ние.]

Ма́ша. Уходи́. . . .

Леони́д [удивлённо]. Куда́?

Ма́ша [не повыша́я го́лоса]. Уйди́ . . . сейча́с же. . . .

[Отхо́дит к сто́лику, собира́ет с него́ посу́ду и несёт за прила́вок.]

Леони́д. Ма́ша. . . . [Молча́ние.] Ма́шенька. . . .

Ма́ша. Не смей называ́ть меня́ так. . . Я . . . не зна́ю тебя́. . . . [Взяв таре́лку с бутербро́дами, открыва́ет холоди́льник, но вдруг, отшатну́вшись, роня́ет таре́лку на́ пол.]

[Леони́д вздро́гнул так, сло́вно в ко́мнате разорва́лась грана́та.]

Ма́ша. [Вынима́ет из холоди́льника па́чку бутафо́рских де́нег и, зажа́в её в руке́, выхо́дит и́з-за прила́вка.] Вор. . . .

Леони́д. Ма́шенька!

Ма́ша. Вон!! . . .[36]

Леони́д [па́дая на коле́ни].[37] Прости́!

Ма́ша. [Размахну́вшись, ударя́ет его́ па́чкой де́нег по лицу́.] Вон! Вон отсю́да! . . .

[Вхо́дит Одинцо́в. Услы́шав звук захло́пнувшейся две́ри, Леони́д вскочи́л. Остолбене́вший в пе́рвое мгнове́ние Одинцо́в де́лает вид, бу́дто ничего́ не заме́тил. Ма́ша, тяжело́ переводя́ дыха́ние, возвраща́ется за прила́вок.]

Одинцо́в [стара́ясь говори́ть непринуждённым то́ном]. Худо́жник мои́ спи́чки унёс, да́йте коро́бочку.

[Ма́ша, освобожда́я ру́ку, кладёт на прила́вок па́чку де́нег.]

Одинцо́в [с изумле́нием]. Бутафо́рские? Как же э́то оста́лось?

[Си́лы вдруг измени́ли Ма́ше. Закры́в лицо́ рука́ми, она́ уткну́лась в прила́вок. Одинцо́в перево́дит вопроси́тельный взгляд в сто́рону Леони́да, но тот уже́ вы́шел.]

Одинцо́в. [Идёт за прила́вок, налива́ет в стака́н воды́ и осторо́жно кладёт ру́ку на вздра́гивающее плечо́ Ма́ши.] Успоко́йтесь. Я ни о чём не спра́шиваю.

Ма́ша. [Поднима́ет го́лову и берёт из рук Одинцо́ва стака́н.] Спа . . . спаси́бо.

Одинцо́в. Расска́жете по́сле . . . пото́м. . . .

За́навес

Notes

1. на . . . ста́нции: at the station. Note the use of the prepositional case with на: на вокза́ле, на по́чте, на рабо́те, на конце́рте, на фа́брике, на заво́де.
2. Мину́т де́сять: about ten minutes. The numeral follows the noun when it is intended to be vague.
3. Как бы не так! (Ironically.) You are telling (kidding) me! Also: What if it is not so?

4. Я имéю в видý: I have in mind. Note the prepositional case: видý; but о виде.
5. И нашли́ же когдá отмени́ть: (Ironically) And you have found (chosen) just the right time to cancel (this train).
6. Ни чертá не понимáю! (from: чёрт; чорт): I can't make head or tail (devil take it).
7. проводи́в . . . взгля́дом (глазáми): having looked after (the retreating figure of. . . .)
8. Ну и рассéянный!: (Well) How absent-minded! What an absent-minded man!
9. Ну что вы в сáмом дéле!: But really, how can you!
10. . . . меня́ зовýт: impersonal use of the verb звать (with nom. or instr.): I am called Nicholas; My name is Nicholas.
11. Óчень прия́тно: (мне óчень прия́тно с вáми познакóмиться): I am pleased to (make your acquaintance) meet you.
12. Ну, к чемý э́то? Why! What is this for?
13. . . . переводя́ дыхáние: catching (getting) (his) one's breath.
14. Так и есть!: That's right! Sure enough!
15. Ну, что с тобóй дéлать!: What shall (am I) (to) I do with you?! (i.e., you are impossible!)
16. Ну да! Well yes!
17. Но скажи́ на ми́лость . . .: (Emphatic) But do tell me (if you) please. . . .
18. Он сáмый: that very same.
19. Давáй я уберý: Let me clean (it) up; let me straighten it.
20. Что такóе?: What is this (it)?
21. Э́то чей же?: Whose is it?
22. А тебé то что?: Why should you worry?
23. Ну нет, дýдки!: Nothing doing! Fiddlesticks!
24. Но как мóжно забы́ть? How can one forget (it)?
25. Ну, чегó ты . . .: Well (Why), what's the matter (with you)?
26. . . . покá егó не осеня́ет мысль: until (when) a thought came to his mind. Note the use: покá не with the verb.
27. Ещё, чегó дóброго: Yet, I fear lest. . . .
28. Мы . . . трóе: also: нас трóе. Such numerals as двóе, трóе, чéтверо, are used only with plural nouns and pronouns.
29. éле сдéрживает слёзы: almost weeps.
30. В чём дéло: What's the matter?
31. Вот так нóмер!: Some joke! (That's something!) That's a good joke for you!
32. И вот ещё: And here are some more.
33. похлóпывая себя́ по кармáнам: patting (a present gerund) his pockets. Notice the idiomatic use of себя́.
34. Честь имéю!: I have the honor (to take . . . leave).
35. Всегó хорóшего!: Good-bye!
36. Вон!: out! Get out!
37. пáдая на колéни: (present gerund) falling on his knees.

Вопро́сы

1. Кто стои́т за прила́вком?
2. Что зака́зывает себе́ Баге́тов?
3. Куда́ он су́нул свой чемода́н?
4. Почему́ Баге́тов говори́т с раздраже́нием?
5. Что покупа́ет Одинцо́в у Ма́ши?
6. О чём она́ про́сит его́?
7. Как объясня́ет Одинцо́в отме́ну поездо́в?
8. Почему́ Баге́тов так бы́стро вы́шел?
9. Како́й разгово́р происхо́дит ме́жду Никола́ем Одинцо́вым и Ма́шей?
10. Почему́ Ма́ша не хо́чет пойти́ с ним в теа́тр?
11. Кого́ она́ ждёт?
12. Что Леони́д принёс с собо́й?
13. Почему́ Ма́ша называ́ет его́ безу́мцем?
14. О како́м журна́ле они́ говоря́т?
15. Нра́вится ли э́тот журна́л Леони́ду? Почему́?
16. Что говори́т Ма́ша об э́том журна́ле?
17. Что де́лает Леони́д?
18. Почему́ он говори́т: ‘‘ведь э́то к сча́стью’’?
19. Что он вынима́ет и́з-под стола́?
20. Куда́ придётся Ма́ше е́хать?
21. Почему́ Леони́д окамене́л?
22. Что бы́ло в чемода́не?
23. Почему́ Леони́д зажа́л Ма́ше рот?
24. Кто пришёл с Ма́шей?
25. Был ли он удивлён?
26. Како́й у Одинцо́ва разгово́р с Леони́дом?
27. За что благодари́т Ма́шу Баге́тов?
28. Почему́ Одинцо́в про́сит Баге́това предъяви́ть докуме́нты?
29. Почему́ Ма́ша говори́т Леони́ду — ‘‘уйди́’’?
30. Как конча́ется пье́са?

Навстре́чу Жи́зни

Навстре́чу Жи́зни

Пье́са А. Иро́шникова

Де́йствующие Ли́ца

Ола́дьев Плато́н Ива́нович	— гла́вный худо́жник фарфо́рового заво́да, 45 лет
А́нна Тимофе́евна	— мать Ола́дьева, за 60 лет[1]
На́дя	— дочь Ола́дьева от пе́рвого бра́ка, начина́ющий ску́льптор, 18 лет
Илья́ Корзу́хин	— молодо́й худо́жник, рабо́тает на фарфо́ровом заво́де, 20 лет
Вале́рия Анато́льевна	— втора́я жена́ Ола́дьева, ску́льптор, 25 лет
Генна́дий Перепёлкин	— аспира́нт[2] институ́та худо́жественной промы́шленности, лет 23–25[3]

Кварти́ра Ола́дьевых в одно́эта́жном до́ме-котте́дже. Про́сто, но со вку́сом обста́вленная гости́ная. Одна́ дверь — в ко́мнату На́ди, друга́я — в сме́жные ко́мнаты. Распа́хнутые две́ри посереди́не — соединя́ют гости́ную с откры́той вера́ндой; с вера́нды спуск в сад — уголо́к кото́рого ви́ден зри́телям — и вы́ход на у́лицу.

[Сухо́й а́вгустовский день. Из са́да потя́гивает дымко́м и те́рпким арома́том — А́нна Тимофе́евна ва́рит варе́нье. На вера́нду из са́да легко́ вбега́ет по ступе́нькам высо́кий стро́йный мужчи́на с седе́ющими виска́ми, ле́тняя соло́менная шля́па сдви́нута на заты́лок, в рука́х пунцо́вые ро́зы, — э́то Ола́дьев.]

Ола́дьев [с вера́нды, в сто́рону са́да]. Ма́ма! Как у нас с обе́дом? Вале́рия Анато́льевна приезжа́ет че́рез полчаса́! [Вхо́дит в ко́мнату, и́щет ва́зу под цветы́.][4] Ну, коне́чно . . . в до́ме тьма ваз, колле́кции собира́ем . . . а цветы́ поста́вить не́ во что. . . .

[Заме́тив на вера́нде ле́йку с водо́й, вно́сит её в гости́ную, опуска́ет в ле́йку ро́зы и ста́вит в тёмный у́гол, за кре́слом.]

[Вхо́дит А́нна Тимофе́евна.]

Скажи́те, ма́ма, неуже́ли нет у нас бо́лее наря́дной ска́терти?

А́нна Тимофе́евна. Да чем тебе́ э́та плоха́?[5] Но́вая ска́терть.

Ола́дьев. Не гармони́рует. Давно́ уже́ собира́лся вам сказа́ть. Муска́т купи́ли?

А́нна Тимофе́евна. Ты шля́пу-то снял бы. Муска́ту не́ было. Наивы́сшего каго́ра взяла́.

Ола́дьев. [Снима́ет шля́пу.] Фуух! Ну, а в остально́м обе́д, наде́юсь, на высоте́?

А́нна Тимофе́евна [с улы́бкой]. Да чего́ ты беспоко́ишься,[6] па́па-молодожён? Кулебя́ку пода́м, суда́к заливно́й.

Ола́дьев. ''Па́па-молодожён''?

А́нна Тимофе́евна. Э́то не я, до́чка твоя́ так тебя́ называ́ет.

Ола́дьев. Неостроу́мно. Отню́дь. Расписа́лись мы с Вале́рией Анато́льевной уже́ давно́. . . . Пошёл тре́тий ме́сяц,[7] и . . . и вообще́. . . . Прися́дьте, ма́ма, я хочу́ с ва́ми поговори́ть.

А́нна Тимофе́евна. Варе́нье там у меня́. [Приса́живается.] Ну?

Ола́дьев. [Хо́дит больши́ми шага́ми.] Я не понима́ю, я спра́шиваю: това́рищи, в чём, со́бственно, де́ло? Челове́к полюби́л челове́ка. Что в э́том предосуди́тельного?

А́нна Тимофе́евна. По-мо́ему, Плато́ша, ничего́.

Ола́дьев. Без ва́шего одобре́ния я бы не сде́лал э́того ша́га — жени́ться во второ́й раз. Да́лее — я худо́жник, ва́ятель. Я мы́слю поэти́ческими, возвы́шенными о́бразами. . . . Же́нщина вошла́ в иску́сство с незапа́мятных времён.[8] Ещё дре́вние э́ллины обожествля́ли же́нщину, же́нщин писа́ли велича́йшие худо́жники всех стран и эпо́х, преле́стный пол воспева́ли поэ́ты Возрожде́ния и Ренесса́нса. . . .

А́нна Тимофе́евна. А тебе́, что, меша́ет кто воспева́ть. По́й.

Ола́дьев. Подожди́те, ма́ма. Вы са́ми же́нщина и худо́жница. Всю жизнь вы прорабо́тали здесь, на фарфо́ровом заво́де. Кому́ ж, как не вам, поня́ть ду́шу худо́жника: ду́шу стра́стную, всегда́ зову́щую, и́щущую. . . .

А́нна Тимофе́евна. Да уж я когда́ ещё поняла́: душа́ твоя́ иска́ла, иска́ла и . . . нашла́ Вале́рию? . . .

Ола́дьев. Что? Вот и́менно. Да, я нашёл но́вую спу́тницу жи́зни. Обрёл, наде́юсь, ве́рного дру́га и помо́щника.

А́нна Тимофе́евна. Ну и дай бог вам сча́стья, как говори́тся. А к чему́ э́та . . . ле́кция?

Ола́дьев. Ма́ма, поведе́ние Вале́рии в на́шей семье́ — безупре́чно. Ме́жду тем, бу́дем открове́нны, она́ встреча́ет здесь косы́е взгля́ды. . . .

А́нна Тимофе́евна. Что ты, Плато́ша? Да мы с На́дей на неё и не смо́трим.

Ола́дьев. Вот, вот, вот. Об э́том-то я и говорю́! Нет, уж, прошу́: и́збранницу мою изво́льте люби́ть и жа́ловать.[9] И, пожа́луйста, повлия́йте на Наде́жду.

А́нна Тимофе́евна. Ла́дно. Повлия́ю. [Вздохну́в.] Бо́льно молода́ она́ для тебя́, Вале́рия-то.

Ола́дьев. Вале́рия Анато́льевна, как и я, челове́к иску́сства. А в иску́сстве нет ни ста́рых, ни молоды́х. Иску́сство ве́чно ю́но! [По́сле па́узы.] Вы зна́ете, чем была́ для меня́ незабве́нная Людми́ла. . . . Могу́ ли я когда́-нибу́дь её забы́ть? Но жизнь идёт свои́м чередо́м, жизнь тре́бует. К тому́ же и вам в до́ме нужна́ помо́щница по-хозя́йству. Го́ды ва́ши прекло́нные. . . .

А́нна Тимофе́евна [посме́иваясь]. Так ты, ста́ло быть, бо́льше и́з-за меня́ второ́й раз жени́лся?

Ола́дьев [обнима́я мать]. Ска́жете вы, ма́ма. . . . Нет серьёзно: На́дя ско́ро уе́дет в Москву́ учи́ться. В э́том году́ она́ уж на экза́менах не прова́лится — сам с ней пое́ду.

А́нна Тимофе́евна. Слу́шай, Плато́н. . . . Не срыва́й ты На́дю с произво́дства. Побы́ть ей на заво́де ещё годо́к — одна́ по́льза. Да и по́сле институ́та почему́ бы На́де не стать заводски́м ску́льптором? Твой пра́дед — Ни́фонт Ола́дьев изве́стным был ма́стером по фая́нсу. Моя мать тут, на Святого́рском заво́де, живопи́ской рабо́тала. Ско́лько нужды́ да го́рюшка хлебну́ли они́ тут при ча́стном заво́дчике-то. . . . А всё ж изде́лия на́ших рук повсюду сла́вились. Ола́дьевским серви́зам с ру́сским се́верным узо́ром — лу́чшие мастера́ за грани́цей ди́ву дава́лись.[10] А ты — Ола́дьев? Чума́зый ого́лец был, ‘‘матрёшек’’ разрисо́вывал. А гляди́, кем стал?[11] Гла́вным худо́жником заво́да! Пусть же и Наде́жда умно́жит сла́ву на́шей дина́стии Ола́дьевых — мастеро́в фарфо́ровых дел. А в институ́т, пове́рь мне, успе́ет.

Ола́дьев. Нево́лить Наде́жду я не собира́юсь. Не захо́чет — пуска́й остаётся на заво́де. Ве́рно — от мла́дшей Ола́дьевой мо́жно ожида́ть мно́гого. Впро́чем, вы, ма́ма, мо́жете горди́ться и ста́ршим Ола́дьевым. Мои́ статуэ́тки по́льзуются широ́кой изве́стностью. ''Пая́ц'' на вы́ставке, во Фра́нции, завоева́л серебряную меда́ль! А мой ''Хорово́д''? В Вене́ции присуди́ли за него́ почётный дипло́м. А мои́ ча́шки? Их раскупа́ют нарасхва́т в И́ндии,[12] вон где! . . .

А́нна Тимофе́евна [поднима́ясь]. Ну зна́ю, знамени́т ты у меня́. А Надю́шу всё же не обижа́й. И Вале́рии скажи́ — пусть дружи́т с па́дчерицей. У На́деньки на́шей бо-ольшо́й тала́нт, дар приро́ды, а ты . . . э-эх! [Идёт к вы́ходу.]

Ола́дьев. Не понима́ю, ма́ма. Что вы руко́й ма́шете?

А́нна Тимофе́евна. Понима́ешь. Проду́кцию свое́й молодо́й жёнушки продвига́ешь, в Мо́скву посла́л. А родно́й до́чери. . .

Ола́дьев [прерыва́я]. Э, нет. На э́ту те́му мы с ва́ми уже́ бесе́довали. Прошу́: в подо́бные дела́ не вме́шивайтесь. [Неожи́данно, шу́тит.] Ма́ма! Вы забы́ли про варе́нье!

А́нна Тимофе́евна. Не беспоко́йся, не забы́ла. А пе́нок ты не полу́чишь! [Опуска́ясь в сад.] Вон, Илья́ к тебе́ пришёл. Проходи́, Илю́ша. [Илье́.] А я говорю́ — мо́жно. [Ушла́.]

[Вхо́дит Илья́ Корзу́хин.]

Ола́дьев. А! Илья́! Ко мне? И́ли к На́де?

Илья́ [хму́рый]. К вам, Плато́н Ива́нович.

Ола́дьев. У-у, по лицу́ ви́жу: молодо́й ва́ятель че́м-то недово́лен. [взгляну́в на часы́.] К сожале́нию, весьма́ тороплю́сь. Ну? Что стрясло́сь?

Илья́. Плато́н Ива́нович, что же э́то де́лается?[13] Э́то . . . э́то про́сто чёрт зна́ет что!

Ола́дьев. Ну, а без черте́й?

Илья́. Боро́лись, боро́лись и на́-те:[14] опя́ть вме́сто иску́сства — ''вал''!

Ола́дьев. Како́й вал?

Илья́. От моего́ образца́ ''Охо́тника'' — оста́лись ро́жки да но́жки![15] Вы разреши́ли упрости́ть рису́нок статуэ́тки?

Ола́дьев. ''Охо́тника''? Ну да, я, я разреши́л.

Илья́. Прости́те, Плато́н Ива́нович, но я, как а́втор, категори́чески не согла́сен! Я никому́ не позво́лю, да́же вам, моему́ учи́телю, подо́бную ‘‘перерабо́тку’’ образца́. . . . Вы ви́дели, сего́дня на заво́де ма́ссовый вариа́нт ‘‘Охо́тника’’? Узна́ть невозмо́жно!

Ола́дьев. Ви́дел. Вполне́ прили́чная статуэ́тка. И недорога́я. И, до́лжен сказа́ть, она́ ста́ла бо́лее дохо́дчива, бо́лее поня́тна для покупа́телей.

Илья́. Что ‘‘Охо́тник’’ в тако́м ви́де стал бо́лее дохо́ден для заво́да — не спо́рю. А что дохо́дчив стал для потреби́телей — прости́те, никогда́ не соглашу́сь.

Ола́дьев. А вы са́ми, друзья́-худо́жники, винова́ты. Техноло́гию произво́дства на́шего зна́ете? Что с кра́сками у нас тугова́то, вам изве́стно, а даёте образцы́, ну пря́мо . . . валансье́нские кружева́! Ско́лько вре́мени твержу́: освободи́те образе́ц от выкрута́сов!

Илья́. Плато́н Ива́нович, да ра́зве то́нкость рису́нка — грацио́зность, полутона́ — выкрута́сы?! Да, наконе́ц, я не то́лько о себе́. А ‘‘Звездочёт’’ Га́ли Кувши́нниковой? Возьми́те ‘‘Васи́лия Тёркина’’ Со́лодова. . . . Ни мале́йшего схо́дства с образцо́м! Ту́склые, се́рые, бле́клые ве́щи. И вы счита́ете, что мы, худо́жники, воспи́тываем хоро́ший вкус у наро́да? . . . Да наро́д никогда́ нам не прости́т!

Ола́дьев. А ты чего́ хо́чешь? Чтоб из сери́йного произво́дства выходи́ли в прода́жу уника́льные произведе́ния? Увы́, Корзу́хин, нам э́то ещё не по плечу́.[16]

Илья́. Зна́чит, для вы́ставок, напока́з — одно́, для потреби́теля — друго́е? Не-ет, Плато́н Ива́нович, мы, молодёжь, бу́дем вы́нуждены обрати́ться к обще́ственности.

Ола́дьев. Ой, ой, ой — люби́мый учени́к угрожа́ет прорабо́ткой своему́ учи́телю? Конфли́кт?!

Илья́. Да! И весьма́ серьёзный: и́ли иску́сство, и́ли гнила́я, деля́ческая пра́ктика коммерса́нтов. Извини́те. Я . . . действи́тельно, о́чень мно́гим обя́зан вам, Плато́н Ива́нович, но. . . .

[Из свое́й ко́мнаты вы́шла На́дя.]

На́дя. Па́па, о чём вы тут спо́рите? Здоро́вается с Ильёй.

Ола́дьев. Да вот — уйми́, пожа́луйста, своего́ соа́втора. Пришёл сей пото́мок Чинги́с-ха́на:[17] что ж, ру́шатся и го́рные пи́ки. Снима́ют с посто́в и гла́вных худо́жников, и те остаю́тся . . . при пи́ковом интере́се.[18]

Илья́. Плато́н Ива́нович, заче́м вы так? Я э́того не говори́л.

Ола́дьев. Снять меня́ хо́чет. За искаже́ние на заво́де его́ образцо́в. [И то́лько тепе́рь поверну́вшись к Илье́.] Но, дорого́й мой Илья́, роль обличи́теля тебе́ не к лицу́.[19] На заво́де все зна́ют, что при отбо́ре изде́лий на Юбиле́йную вы́ставку, ва́ших ‘‘Рождённых бу́рей’’ — я не поддержа́л.

На́дя. Ну, и что ж из э́того?[20]

Ола́дьев. О-о, ‘‘стра́шная месть’’[21] по Го́голю, и те́де и те́пе.

Илья́ [взрыва́ясь]. Плато́н Ива́нович, вы . . . я . . . . На́дя, скажи́ своему́ отцу́. . . .

На́дя. [Берёт его́ за́ руку.] Илю́ша, споко́йно! Оте́ц, как тебе́ не со́вестно? . . . Ни за что́, ни про что́[22] оскорби́ть так челове́ка?

Ола́дьев. На́дя, уйди́. Не́когда мне[23] с ва́ми сейча́с. . . .

На́дя. На заво́де зна́ют и друго́е: на́шу рабо́ту ты забракова́л, а посре́дственную ва́зу твое́й Вале́рии поднима́ешь на щит.[24] Э́то что? Как называ́ется?

Ола́дьев. [вспыли́в.] Я запреща́ю вам так говори́ть! Я запреща́ю вам говори́ть со мно́й подо́бным о́бразом! Всем! Я — твой оте́ц! . . .

На́дя. А я говорю́ с тобо́й сейча́с как худо́жник с худо́жником.

Ола́дьев. Ну, вот что ‘‘худо́жники’’, я опа́здываю на вокза́л. По́сле, по́сле поговори́м. . . . [Выпрова́живает обо́их на вера́нду.]

На́дя. [Илье́, на ходу́.] Па́па встреча́ет свою́ Царе́вну-Ле́бедь.

[На́дя и Илья́ ушли́ в сад.]

Ола́дьев [усмехну́вшись]. Вот вре́дные! [Взгляну́л на часы́.] А, чёрт! Так и есть[25] — опозда́л! [Схвати́в шля́пу, броса́ется к вы́ходу. На терра́се ната́лкивается на входя́щую Вале́рию Анато́льевну. Она́ преле́стно оде́та, в руке́ несла́ чемода́н, кото́рый при столкнове́нии с Ола́дьевым вы́пал.]

Вале́рия. Бог мой, к чему́ така́я стреми́тельность?

Ола́дьев. Ле́ра? Прости́, пожа́луйста. [Целу́ет ей ру́ки.] Задержа́ли меня́, понима́ешь, тут э́ти . . . пира́ты . . . [Поднима́ет чемода́н.] Прости́ ты́сячу раз!

Вале́рия. Ты́сячу? Не-ет, я не прощу́ ни ра́зу! Я надеру́ вам сейча́с у́ши,[26] Ола́дьев! Да, да . . . [ласка́ясь.] хоть ты и большо́й, и краси́вый, и да́же чу́точку седо́й. . . . А что за ‘‘пира́ты’’?

Ола́дьев [помо́рщившись]. А, чепуха́! Ну, Ле́рочка, как ты съе́здила?[27] Расска́зывай, расска́зывай. . . .

Вале́рия. Чуде́сная, освежа́ющая го́лову пое́здка. Сто́лько богате́йших впечатле́ний. . . . Зна́ешь, я там наброса́ла не́сколько эски́зов. Пыта́лась ко́е-что сде́лать в пластили́не, да не успе́ла.

Ола́дьев. Оста́лась бы ещё. Я продли́л бы тебе́ командиро́вку. Ну, а что с твое́й юбиле́йной ва́зой?

Вале́рия. С мое́й ва́зой . . . нет, я да́же бою́сь тебе́ сказа́ть — тьфу, тьфу, тьфу, что́бы не сгла́зить,[28] ну, в о́бщем, ка́жется, мой ‘‘Триу́мф’’ оправда́ет своё назва́ние.

Ола́дьев. Ага́! Вот, ви́дишь! Я говори́л тебе́, что ва́за твоя́ — шеде́вр! [вои́нственно, к кому́-то адресу́ясь.] О́ч-чень хорошо́! Я им покажу́. . . . Ну, Ле́рочка, расска́зывай, не томи́.

Вале́рия. В Вы́ставочном комите́те меня́ встре́тили прекра́сно. С мое́й ва́зой мно́гие чле́ны комите́та уже́ ознако́мились.

Ола́дьев. Письмо́ моё к Шарова́рову передала́?

Вале́рия. В пе́рвую го́лову.[29] Фёдор Евгра́фович был со мно́й о́чень любе́зен. Он сказа́л: ‘‘О́чень ми́ло, о́чень ми́ло’’.

Ола́дьев. Э́то всё, что он изрёк?

Вале́рия. Нет. Он не спеша́ вы́нул тру́бку, наби́л её чу́дным, арома́тным табако́м и сказа́л мне ещё — ‘‘непреме́нно, непреме́нно’’.

Ола́дьев. Что ‘‘непреме́нно’’?

Вале́рия. Ну, очеви́дно ‘‘поддержу́’’.

Оладьев. Гм. . . . А мо́жет — ‘‘провалю́’’?

Вале́рия. Ну вот ещё! Типу́н тебе́ на язы́к.[30] Дуга́рский о́чень до́лго бесе́довал со мно́й. Он наговори́л мне ку́чу комплиме́нтов. Пожури́л то́лько за наруше́ние симметри́и и намекну́л, что хоте́лось бы бо́льше своего́ . . . ну что, в мое́й ва́зе, как ему́ ка́жется, есть подража́ние. . . . Но, в о́бщем, он — ‘‘за’’.

Ола́дьев. А как Загря́жский? Я говори́л с ним отсю́да по телефо́ну.

Вале́рия. Так вот он мне и сообщи́л — вопро́с факти́чески решён. Все экспона́ты, рекоменду́емые на́шим заво́дом, бу́дут экспони́рованы.

Ола́дьев. Так и сказа́л?

Вале́рия. Да. На днях состои́тся заседа́ние прези́диума и всё офо́рмят.

Ола́дьев. Погоди́, а э́тот . . . академи́ческий суха́рь — По́сохов? Он твой ‘‘Триу́мф’’ ви́дел?

Вале́рия. [смея́сь] На моё сча́стье[31] По́сохов уе́хал в Крым.

Ола́дьев. Ну, Ле́рочка, я ду́маю, что всё бу́дет в поря́дке. Да, ме́жду про́чим, ты там не говори́ла, что . . . вы́шла за́муж за меня́?[32]

Вале́рия. Нет. Как ты проси́л.

Ола́дьев. Да, да. Ты выступа́ешь под свое́й фами́лией — Вале́рия Ту́ровская. Оку́тывать та́йной на́ши отноше́ния бы́ло бы, коне́чно, глу́по. Но пусть в Москве́ пока́ не зна́ют. Пересу́ды мо́гут тебе́ повреди́ть.

Вале́рия. Ты прав, Плато́н. Вообража́ю, как у нас на заво́де суда́чат. Болта́ют, коне́чно, что Ту́ровская не без коры́сти, мол, околдова́ла гла́вного худо́жника.

Ола́дьев. Плюнь.[33] Что за чепуха́!

Вале́рия. А всё же ты, Плато́н Ива́нович, допусти́л одну́ оши́бку.

Ола́дьев. Каку́ю?

Вале́рия. ''Рождённых бу́рей'' Корзу́хина и На́ди тебе́ сле́довало похвали́ть. Ну посла́л бы в Москву́ ещё оди́н экспона́т. Ведь компози́ция уда́чная.

Ола́дьев. Ну вот, ещё оди́н адвока́т! Сего́дня мне все у́ши прожужжа́ли[34] с э́тими ''Рождёнными бу́рей''. Ле́ра, да не́ужто я — враг свое́й родно́й до́чери? Но разреши́те мне, друзья́, име́ть свою́ то́чку зре́ния. Кста́ти, её по́лностью разделя́ет и Купа́вин — дире́ктор наш. Нет, нет, де́лайте со мной что хоти́те, а я за простоту́ форм.

Вале́рия. Простота́, пра́вда жи́зни — одно́, упроще́нчество — друго́е. Впро́чем, кого́ я поуча́ю? Масти́того Ола́дьева? [Берёт его́ по́д руку.]

Ола́дьев. Ты отдохнёшь пе́ред обе́дом? И́ли пойдём посмо́трим твою́ мастерску́ю?

Вале́рия [ра́достно удивлённая]. Мою́ . . . мастерску́ю?

Ола́дьев [посме́иваясь]. А почему́ бу́дущей изве́стности — ску́льптору Ту́ровской — не име́ть свое́й тво́рческой мастерско́й? Всё отде́лано по моему́ эски́зу.

Вале́рия. Како́й сюрпри́з! Ты так лю́бишь меня́? [Кладёт ру́ки ему́ на пле́чи.] Благодарю́. [Помолча́в.] Но ты не ссорь меня́, пожа́луйста, с На́дей. Я хочу́ быть оригина́льной: я бу́ду до́брой, ла́сковой ма́чехой. Серьёзно! Я бу́ду для На́ди ста́ршей подру́гой.

Ола́дьев. [Целу́ет Вале́рии ру́ку.] Э́то моё глубо́кое жела́ние.

[Ола́дьев и Вале́рия иду́т к вы́ходу в сад, вдруг Ола́дьев остана́вливается, и́щет что-то глаза́ми.]

Вале́рия. Ты что?

Ола́дьев. Купи́л, понима́ешь, тебе́ ро́зы . . . и не могу́ вспо́мнить куда́ дева́л!

Вале́рия. [Смеётся.] Наве́рно, поста́вил в ва́зу-невиди́мку.

Ола́дьев. [гро́мко, с вера́нды.] На́дя! Скажи́ ба́бушке, что Вале́рия Анато́льевна прие́хала!

На́дя. [поднима́ясь из са́да на вера́нду.] Здра́вствуйте, Вале́рия.

Вале́рия. Всё, что проси́ли, привезла́. И кра́ски, и пластили́н.

На́дя. Спаси́бо.

Вале́рия. Ви́дела ва́шего Генна́дия, мы е́хали с ним сюда́ в одно́м по́езде. [Спуска́ется в сад.]

На́дя [вспы́хнув]. Почему́ ‘‘моего́’’? Он во́все не мой.

Го́лос Вале́рии. Не серди́тесь, На́денька. Я пошути́ла.

[На́дя прохо́дит в гости́ную. Па́уза. Неизве́стно заче́м, машина́льно переставля́ет с ме́ста на ме́сто каки́е-то безделу́шки.]

[На поро́ге появля́ется Генна́дий Перепёлкин.]

Перепёлкин [подража́я Ча́цкому].[35] ‘‘Чуть свет уж на нога́х! И я у ва́ших ног. . . .’’ [Театра́льно припада́ет на коле́но, замеча́я за кре́слом ле́йку, молниено́сно вынима́ет отту́да ро́зы и преподно́сит их На́де.]

На́дя. Каки́е ди́вные ро́зы! [шутли́во, в тон **Перепёлкину.**] Отку́да, Ча́цкий? С корабля́?

Перепёлкин [в о́бразе Ча́цкого]. Да, Со́фья Па́вловна, я с корабля́! [Переста́в изобража́ть Ча́цкого.] Я с корабля́ Сла́вы!

На́дя. Како́й Сла́вы? Китобо́йной флоти́лии?

Перепёлкин. Да нет, с корабля́ ва́шей восходя́щей лучеза́рной сла́вы!

На́дя. О чём вы? Что за слог? [смея́сь.] Вы что, Генна́дий, и в любви́ таки́м высо́ким сти́лем[36] изъясня́етесь?

Перепёлкин. А что, кудря́во?

На́дя. Дрему́че.

Перепёлкин. Слова́ любви́ всегда́ поня́тны. Э́тим са́мым сти́лем я вчера́ кля́лся у фонта́на, зна́ете, про́тив Большо́го теа́тра. . . .[37]

На́дя. Кому-у́?

Перепёлкин. Вам, Наде́жда Плато́новна!

На́дя. Лжец! Меня́ же там не́ было.[38]

Перепёлкин. А я — зао́чно. Но слу́шайте, слу́шайте да́льше! Ва́шу скульпту́ру я показа́л в Москве́, и . . . феери́ческий успе́х! Поздравля́ю вас и Илю́шку с блиста́тельной побе́дой! На́дя, Наде́жда Плато́новна, мо́жно . . . я в лоб вас поцелу́ю?

На́дя [с напускно́й стро́гостью]. Аспира́нт Перепёлкин . . . вы ста́нете когда́-нибу́дь серьёзным челове́ком? Ну, како́й из вас вы́йдет учёный муж?

Перепёлкин. Учёный? Да как вам сказа́ть?[39] Учёный, мо́жет, и не полу́чится, но муж. . . . Му́жем я бу́ду образцо́вым! Зна́чит, ду́маете, что я вру? Ну, а е́сли я покажу́ вам вот э́то фо́то?

[Передаёт фотосни́мок.]

На́дя [удивлённо]. Что э́то?

Перепёлкин [небре́жно]. Кла́ссика.

На́дя. Позво́льте, да ведь э́то . . . ''Рождённые бу́рей''?!

Перепёлкин. Так то́чно.

На́дя [ра́достно]. На вы́ставке? . . .

Перепёлкин. На вы́ставке.

На́дя. Где? . . .

Перепёлкин [огля́дываясь]. Умоля́ю, пока́ что — держи́те в секре́те. Ва́ша рабо́та получи́ла одобре́ние республика́нского комите́та. . . .

На́дя. Ох! . . .

Перепёлкин. И была́ вы́ставлена на ко́нкурсе ''Тво́рчество молоды́х''. Жюри́ присуди́ло вам с Ильёй пе́рвый приз.

На́дя. Пе́рвый приз?

Перепёлкин. Но са́мое гла́вное: ''Рождённые бу́рей'' отобраны для экспони́рования на Всесою́зной юбиле́йной вы́ставке.

На́дя. [в волне́нии.] Го́ша, ми́лый Го́ша, е́сли э́то пра́вда . . . вы превзошли́ самого́ себя́!

Перепёлкин. Коне́чно, превзошёл. Я вам толку́ю об э́том уже́ полчаса́. Но, На́денька, запаси́тесь терпе́нием. Об э́том мо́жно сказа́ть то́лько Илье́. Отцу́ — ни в ко́ем слу́чае![40] Он мо́жет испо́ртить нам всю э́ту вели́чественную карти́ну. . . .

На́дя. Да́йте я вас поцелу́ю . . . в щёку. [Целу́ет.]

Перепёлкин. А за Илю́шку?

На́дя. Ох, хитрю́га. [Поцелова́ла.] Я должна́ пое́хать в Москву́!

Перепёлкин. Пое́дете. Вас и Илью́ на днях вы́зовут в Вы́ставочный комите́т. Кро́ме того́, в Главфарфо́р[41] поступи́л кру́пный зака́з. Оди́н музе́й согла́сен ва́шу скульпту́ру отли́ть в бро́нзе.

На́дя. На́до сказа́ть Илье́. Он, по-мо́ему, ещё в саду́. Ну, а за что хвали́ли скульпту́ру?

Перепёлкин. За волне́ние души́. За вдохнове́нные о́бразы. О́коло ва́шей скульпту́ры ве́чно толпя́тся. Кого́ то́лько там не встре́тишь:[42] студе́нтов, колхо́зников, почте́нного профе́ссора, моряка́, шко́льника. . . . Говори́л и говорю́ — скульпту́ра выдаю́щаяся.

Вале́рия. [Она́ показа́лась на вера́нде не́сколько ра́нее.] Что вы так расхва́ливаете, Генна́дий? [Вхо́дит в гости́ную.] Ви́дела, как вы сади́лись в по́езд, а пото́м куда́-то провали́лись.[43]

Перепёлкин. В бе́здну жите́йских противоре́чий. Вы е́хали в мя́гком ваго́не, а я тря́сся на боково́й.

Вале́рия. Так вы о чём? Чья э́та столь выдаю́щаяся скульпту́ра?

Перепёлкин [не моргну́в гла́зом]. Да э́то я был в Вы́ставочном комите́те, ну слы́шал там, соверше́нно случа́йно, выска́зывания о ‘‘Триу́мфе’’.

Вале́рия [насторо́женно]. О . . . ‘‘Триу́мфе’’? О како́м?

Перепёлкин. По-мо́ему, среди́ экспона́тов, предста́вленных на юбиле́йную вы́ставку — ‘‘Триу́мф’’ оди́н. Ва́ша роско́шная ва́за.

На́дя [незаме́тно дёргая Генна́дия за рука́в, ти́хо]. Безу́мец, что вы де́лаете? . . . [Убега́ет в сад.]

Вале́рия. [Схвати́лась па́льцами за виски́.] Нет, вы . . . серьёзно?

Перепёлкин. Руча́ться я, коне́чно, не могу́. Но мне показа́лось, что речь шла и́менно о ва́шей ва́зе. А там, ле́ший зна́ет, мо́жет и пу́таю.

Вале́рия [возбуждённая]. Плато́н Ива́нович! Плато́н! . . . Вы зна́ете. . . . [Ушла́.]

Перепёлкин. [Оди́н.] А что . . . е́сли я . . . перестара́лся?

[С ме́дным та́зом в руке́ появля́ется А́нна Тимофе́евна.]

Перепёлкин [гро́мко]. Салю́т, ба́бушка!

А́нна Тимофе́евна [вздро́гнув]. Фу, напуга́л! Прилете́л, со́кол я́сный?[44] Пе́нки лю́бишь? Угоща́йся!

Перепёлкин. Вишнёвые? Спаси́бо. Но позво́льте снача́ла переда́ть вам пода́рочек. [Передаёт свёрток.]

А́нна Тимофе́евна. [Развора́чивает свёрток.] Косы́нка? Ну вот э́то ещё заче́м?

Перепёлкин. Как заче́м?[45] Да вам, А́нна Тимофе́евна, е́сли уж по-справедли́вости . . вот, мой значо́к альпини́ста носи́ть полага́ется.

А́нна Тимофе́евна. Мне?

Перепёлкин. Да, да, вам, ба́бушка. За овладе́ние высо́тами иску́сства.

А́нна Тимофе́евна. [Смеётся.] Да что ты, ми́лый. . . .[46]

Перепёлкин [делови́то]. Вы помога́ли Илье́ и На́де сове́тами?

А́нна Тимофе́евна. Ну, каки́е там сове́ты. Так, ко́е-что им подска́зывала.

Перепёлкин. А кто сказа́л: ''А я бы, ребя́тки, ''Рождённых бу́рей'' обяза́тельно в Москве́ показа́ла''?

А́нна Тимофе́евна. Ну, пра́вильно. И сейча́с скажу́.

Перепёлкин. Так вот, разреши́те доложи́ть: ваш стратеги́ческий сове́т вы́полнен! ''Рождённые бу́рей'' пока́заны в Москве́ и получи́ли пе́рвый приз! [Уви́дев появи́вшегося **Ола́дьева,** де́лает знак ба́бушке молча́ть и убега́ет, че́рез вера́нду, в сад.]

Ола́дьев [входя́]. Ма́ма, мо́жно сади́ться за стол?

А́нна Тимофе́евна [не́сколько расте́ряна]. Что? А! Да, да. Сейча́с сала́т то́лько пригото́влю. [Идёт, остана́вливается.] Эх, вина́ малова́то. Раз тако́е де́ло — на́до бы шипу́чки э́той купи́ть, шампа́нского. . . .

Ола́дьев. Ну, шампа́нское необяза́тельно.

А́нна Тимофе́евна. Как э́то ''необяза́тельно''? За Надю́шу и за Илю́шу — я и то[47] сего́дня вы́пью!

Ола́дьев [вздохну́в]. Да, ма́ма, старе́ете вы. Ра́зве вы не заме́тили, что за На́дей давно́ уже́ уха́живает э́тот, м-м . . . о́чень экспанси́вный аспира́нт Перепёлкин? Илья́ Корзу́хин — ни при чём.[48]

А́нна Тимофе́евна. Как ''ни при чём''? Твори́ли они́ вме́сте, зна́чит, и успе́х де́лят попола́м.

Ола́дьев. Успе́х? [Удивлённо пожима́ет плеча́ми.] О чём вы говори́те?

А́нна Тимофе́евна. А ты ничего́ не зна́ешь? Э-эх! ''па́па-молодожён''. В Москве́ Илья́ и На́дя пе́рвый приз получи́ли!

Ола́дьев [поражён]. Приз? Когда́? За что?

А́нна Тимофе́евна. За ''Рождённые бу́рей''! [вдруг вспо́мнив, про себя́.] Ба́тюшки, он, ка́жется, веле́л молча́ть?

Ола́дьев. Кака́я чепуха́! Кто вам сказа́л?

А́нна Тимофе́евна. Ну, ма́ло ли кто. . . .[49] Перепёлкин сказа́л. . . . [Ухо́дит из ко́мнаты.]

Ола́дьев. Что э́то . . . шу́тка? [С вера́нды кричи́т в сад.] Генна́дий Алексе́евич! Генна́дий, иди́те-ка сюда́.

[На вера́нду поднима́ется Перепёлкин.]

Послу́шайте, где э́то вы ви́дели, в Москве́, ''Рождённых бу́рей''? На како́й вы́ставке?

Перепёлкин. Я? Поня́тия не име́ю.

Ола́дьев [усмеха́ясь]. Как же, ещё да́же а́вторам и приз да́ли.

Перепёлкин. Ф-фанта́стика!

Ола́дьев. Так. Сле́довательно, моя́ ма́тушка всё э́то сама́ вы́думала?

Перепёлкин. А́нна Тимофе́евна? [про себя́.] Подвела́-таки́ ба́бушка. [Ола́дьеву.] Ви́дите ли, Плато́н Ива́нович, я ли́чно не ви́дел. . . .

Ола́дьев [перебива́я]. И не могли́ ви́деть: оригина́л нахо́дится здесь, на заво́де.

Перепёлкин. Есте́ственно. Ина́че э́то бы́ло бы ми́стикой. Но . . . оди́н мой това́рищ ви́дел.

Ола́дьев. Что ви́дел това́рищ?

Перепёлкин. Да э́ту са́мую . . . скульпту́рную компози́цию.

Ола́дьев. Где?

Перепёлкин. На вы́ставке ''Тво́рчество молоды́х''. Есть да́же заме́тка в ''Огоньке́''.[50] И приз да́ли.

Ола́дьев [сби́тый с то́лку]. Заме́тка в ''Огоньке́''? Впервы́е слы́шу. . . . Позво́льте, зна́чит, ''Рождённые бу́рей'' оказа́лись в Москве́?

Перепёлкин. Е́сли ве́рить моему́ това́рищу, то. . . .

Ола́дьев. . . . И приз получи́ли?

Перепёлкин. Вот насчёт при́за впервы́е слы́шу. Таки́е то́лпы стоя́т.

Ола́дьев. Каки́е то́лпы?

Перепёлкин. У скульпту́ры. С са́мого утра́ и до ве́чера. Глаз не отрыва́ют.[51]

Ола́дьев. Кто?

Перепёлкин. Ну, э́ти . . . посети́тели. Тури́сты. Взро́слые. Грудны́е младе́нцы.

Ола́дьев [зли́тся]. Слу́шайте, Генна́дий . . . вы что: вот так и в любви́ объясня́етесь?

Перепёлкин. Да. А что? Нет чёткой формулиро́вки.

[Вхо́дит Илья́.]

Илья́. Прости́те, Плато́н Ива́нович, опя́ть вас беспоко́ю. Вот [протя́гивает бума́гу] моё заявле́ние. Мои́ образцы́ стату-э́ток — прошу́ снять с произво́дства.

Перепёлкин. [Илье́.] Без борьбы́? Малоду́шный!

Ола́дьев. Снять статуэ́тки? [Вдруг кричи́т.] А вот я тебя́ самого́ сниму́ с произво́дства.

Илья́ [озада́чен]. Меня́? . . . За что?

Ола́дьев. Ви́дели ягнёночка? Он ещё прики́дывается. . . . ''За что''? [значи́тельно.] За должностно́е преступле́ние, вот за что?

Илья́. [Испу́ганными глаза́ми смо́трит то на Ола́дьева, то на Перепёлкина.] Престу́п. . . . Плато́н Ива́нович, что вы тако́е говори́те? . . .

Ола́дьев. Ты что же де́лаешь? Компромети́руешь заво́д? Кто тебе́ разреши́л взять с заво́да ''Рождённые бу́рей''?

Илья́. Я не брал.

Ола́дьев. Я, гла́вный худо́жник заво́да, случа́йно узнаю́, что изде́лие на́шего заво́да отвезено́ в Москву́! И где-то там экспони́руется? . . .

Илья́ [изумлённо и в то́ же вре́мя ра́достно]. Что-о́? ''Рождённые бу́рей'' вы́ставлены? Кляну́сь вам, я ничего́ об э́том не знал.

Ола́дьев. Не знал! [кивну́в на Перепёлкина.] Вот . . . това́рищ э́того това́рища ви́дел со́бственными глаза́ми. . . .

Илья́. Го́ша, э́то пра́вда?

Перепёлкин. Ошеломля́ющая и́стина.

Ола́дьев. Слы́шишь, слы́шишь?

Илья́. Ничего́ не знал. Заво́д не отправля́л ''Рождённых бу́рей'' на вы́ставку. Вы же восста́ли и провали́ли на́шу рабо́ту.

Ола́дьев. Так кто же тогда́ отпра́вил? На́дя?

Илья́. На́дя ничего́ мне не говори́ла.

Ола́дьев. Хорошо́. Я сейча́с, при тебе́, позвоню́ на заво́д и е́сли оригина́л скульпту́ры исче́з . . . я с ва́ми распра́влюсь! Вы у меня́ похозя́йничаете на заво́де! [Идёт к телефо́ну.]

Перепёлкин. [прегражда́я доро́гу Ола́дьеву.] Плато́н Ива́нович, не звони́те. Илю́шка Корзу́хин чист, как стёклышко. Я за него́ споко́ен, как ночно́й камы́ш.

Ола́дьев. Но я не споко́ен, чёрт вас возьми́! Происхо́дят зага́дочные явле́ния . . . пря́мо как в рома́нах Дюма́!

Перепёлкин [про себя́]. Э, семь бед — оди́н отве́т.[52] [Ола́дьеву.] Ну . . . я призна́юсь уж вам. Я — граф Мо́нте-Кри́сто. Я отвёз скульпту́ру в Москву́.

Илья́. Ты?

Ола́дьев. Вы? И . . . На́дя зна́ла?

Перепёлкин. Зна́ла. Но заявля́ю: варфоломе́евскую ночь[53] начина́йте с меня́. Ре́жьте, коли́те![54] Гла́вный вино́вник — я.

Ола́дьев. Ну, Генна́дий . . . не ждал я от вас тако́й на́глости.

Перепёлкин [серьёзно]. Плато́н Ива́нович! Э́то не на́глость. Мне так понра́вились э́ти ‘‘Рождённые бу́рей’’ за сме́лость, за я́ркость, за тала́нтливость. . . . И я так был с ва́ми не согла́сен, что я сде́лал всё, что мог.

Ола́дьев. А вы зна́ете, что э́то называ́ется . . . кра́жа?

Перепёлкин. Теорети́чески мо́жно, коне́чно, приписа́ть мне ‘‘похище́ние’’. Но практи́чески вы же не ста́нете меня́ привлека́ть к отве́тственности?

Ола́дьев [уда́рив кулако́м по́ столу]. А вот привлеку́!

Перепёлкин. Тогда́ уж привлека́йте не то́лько меня́, но и а́втора э́той гениа́льной иде́и. . . . Вот кого́! Жест в сто́рону вера́нды, где появля́ется А́нна Тимофе́евна.

Ола́дьев [опе́шив]. Она́-а?

[Продолжи́тельный телефо́нный звоно́к. К телефо́ну подхо́дит А́нна Тимофе́евна. Одновреме́нно появля́ется Вале́рия.]

А́нна Тимофе́евна [в телефо́н]. Слу́шаю. . . . Москва́ говори́т? Да, Ола́дьева . . . поздравля́ете? С чем? С триу́мфом? Плато́ша, тебя́, тебя́. . . .

Ола́дьев. Ура́-а!!

А́нна Тимофе́евна. [Протя́гивает тру́бку Ола́дьеву.] Из вы́ставочного комите́та.

Вале́рия. Э́то меня́! Ой, Плато́н. . . . [Подбега́ет к телефо́ну, хвата́ет тру́бку.] Да, да . . . поздравля́ете с ‘‘Триу́мфом’’? Э́то я, а́втор ‘‘Триу́мфа’’, Ту́ровская . . . Слу́шает. Что? . . . Что? . . . [упа́вшим го́лосом.] Плато́н. . . [Передаёт тру́бку Ола́дьеву.]

Ола́дьев [в телефо́н]. Слу́шаю, слу́шаю. . . . Я, здра́вствуйте. А я и не сомнева́лся в ‘‘Триу́мфе’’ . . . Винова́т, что вы говори́те? Мое́й до́чери? [Слу́шает.] Ах, вот что. . . . ‘‘Рождённые бу́рей’’? Утверди́ли на прези́диуме? . . .

Перепёлкин. [Илье́.] Слы́шишь? Где На́дя? [Побежа́л в сад.]

Ола́дьев. Да, понима́ю. . . . Да, э́то больша́я ра́дость, коне́чно. . . . На таку́ю вы́ставку, в честь сорокале́тия Октября́. . . . Да, они́ о́ба здесь. . . . Когда́ им выезжа́ть? Неме́дленно?

Илья́ [взволно́ванным шёпотом]. Куда́? В Москву́?

[Вбега́ют На́дя и Перепёлкин.]

На́дя, нас с тобо́й в Москву́!

На́дя. В Москву́? . . .

А́нна Тимофе́евна. Да ти́ше вы!

Ола́дьев [продолжа́я]. Хорошо́, за́втра вы́едут. А как же с други́м на́шим экспона́том? С ва́зой Ту́ровской? Да, да, Вале́рии Ту́ровской? . . . Реши́ли воздержа́ться? Подожди́те, как же так? . . . Да, предста́влена на́шим заво́дом. . . . [Слу́шает.] Подража́тельно? А мне каза́лось. . . . О́чень жаль, о́чень. . . . Понима́ю, понима́ю. . . . До свида́ния. [Кладёт тру́бку.]

[Вале́рия стои́т растéрянная.]

На́дя. [Подхо́дит.] Как жаль, Вале́рия. . . .

Перепёлкин. Но э́то бы́ло че́стное соревнова́ние.

Вале́рия [запа́льчиво]. Нет, не че́стное. Э́то вы всё устро́или. . . .[55]

Ола́дьев. Не на́до, Ле́рочка. [Мя́гко.] Нет, ви́димо, мы с тобо́й о́ба оши́блись. Бу́дем му́жественны. Поздра́вим победи́телей! Поздра́вим от се́рдца.[56] [Обнима́ет дочь за пле́чи, жмёт ру́ку Илье́.]

Перепёлкин. Плато́н Ива́нович, мне — амни́стия?

Олáдьев. Да нý тебя́ в болóто,[57] ''граф Мóнте-Кри́сто''![58] [к **Нáде.**] Ты ви́дишь, когó ты полюби́ла?

Нáдя [у вáзы с рóзами]. Геннáдий, ми́лый! Как вó-время сегóдня вáши рóзы!

Олáдьев. Что?! Так он ещё и мои́ рóзы укрáл?

Валéрия [обнимáя Нáдю]. Они́ сегóдня по прáву принадлежáт ей.

Олáдьев. Собирáйтесь в Москвý, ребя́та. [к Валéрии, лáсково.] А мы с тобóй ещё пои́щем. Всю жизнь искáть нáдо.

Áнна Тимофéевна. Найдёшь, Платóн. И ты найдёшь, Валéрия. Тóлько бли́же к нарóду держи́тесь. Óба. Вон, как они́. [Укáзывает на Нáдю и Илью́.] А лю́ди поймýт. Сóрок лет прошлó. Тепéрь уж не тот нарóд, вы́росли, слáва бóгу. Всё поймýт, всё рассýдят. [к Нáде.] Ну, чегó стои́шь? Где чемодáн?

Зáнавес

Notes

1. За 60 лет: past sixty.
2. аспирáнт институ́та: a graduate student working towards a higher degree.
3. лет 23–25: See Note 2, p. 78.
4. под цветы́: под with the accusative: for the flowers.
5. Да чем тебé э́та плохá? What's wrong (you think) with this one?
6. Да чегó ты беспокóишься — : Да — for emphasis: Why then are you worrying?
7. Пошёл трéтий мéсяц: i.e., two months have already passed.
8. С незапáмятных времён: since the time immemorial.
9. Нет, уж, прошý: и́збранницу мою́ извóльте люби́ть и жáловать.: I beg you to favor my (chosen one) lifemate with your friendship (and love). This is a rather formal expression, borrowed from folk speech.
10. Ди́ву давáлись: We're amazed. (Folk speech.)
11. А гляди́ кем стал?: Гляди: imperative, 2nd p. singular of глядеть. And look, who you are now! Lit.: What a person (good or bad) you've become! Instr. case is used with the verb: стать: кем стал.
12. Их раскупáют нарасхвáт: They are selling (being bought) like hot cakes.
13. Что же э́то дéлается!: What's going on here!
14. . . . и нá-те: There you have it. (What a disappointment!)
15. остáлись рóжки да нóжки: Nothing remains but little horns and feet. . . . From a nursery rhyme:
    Жил-был у бáбушки сéренький кóзлик: The grandma had a little grey goat (kid) . . . and only little horns. . . . (i.e., the wolf made an end of the little kid.)

16. Нам э́то ещё не по плечу́: We are not yet well up in it.
17. Чинги́с-хан: (1155–1227) a Mongol conqueror.
18. и те остаю́тся при пи́ковом интере́се: and they are left without anything; they are the losers; they have had bad luck. From a card game: пи́ки — spades; Queen of spades, an unlucky card: Пи́ковая дама. *The Queen of Spades*, a story by A. S. Pushkin (1799–1837).
19. тебе́ не к лицу́: it is not becoming to you.
20. Ну, и что ж из э́того? Well, what of it?
21. Стра́шная месть: A story by N. V. Gogol (1809–52).
22. Ни за что, ни про что: For no rcason at all.
23. Не́когда мне: I have no time.
24. поднима́ешь на щит: you praise (her) too much. (to raise one on a shield, as it was practiced in Ancient Rome).
25. Так и есть: опозда́л!: That's it, I am late!
26. Я надеру́ вам сейча́с у́ши!: Right away I'll box your ears!
27. Как съе́здила?: What kind of a trip did you have?
28. Тьфу, тьфу, что́бы не сгла́зить: Spit on it! lest the evil spirit'll do some harm; an evil eye may cast a bad spell (Folk superstition).
29. В пе́рвую го́лову: The first thing, right away.
30. Ну вот ещё! Типу́н тебе́ на язы́к!: That's the limit! (What next?) May you get (a pip on your tongue). Tongue-tied!
31. На моё сча́стье: As luck would have it; it was my luck.
32. вы́шла за́муж за меня́: выходи́ть-вы́йти за́муж за, plus the accusative (about women): to get married.
33. Плюнь: imperative: плева́ть: to spit. Forget about it!
34. Мне все у́ши прожужжа́ли: (They have) dinned it into my ears.
35. Ча́цкий: a hero from Griboyedov's (1798–1829) Comedy: Woe from Wit — Го́ре от Ума́.
36. высо́ким сти́лем (изъясня́етесь): you use a high (solemn) literary style (of expression).
37. Большо́й Теа́тр: the word-famous theatre in Moscow.
38. Меня́ же там не́ было: I was not there. Note that the negative takes the accent: не́ был, не́ были, не́ было — but not in the exprcssion: не была́.
39. Да как вам сказа́ть!: Well, what can I say about it.
40. ни в ко́ем слу́чае: ни в како́м слу́чае: under no circumstance whatever (for nothing in the world).
41. Главфарфо́р: Гла́вное Управле́ние произво́дства фарфо́ра. Head Office of Porcelain Manufacture.
42. Кого́ то́лько там не встре́тишь: One meets there all sorts of people (practically everybody).
43. А пото́м куда́-то провали́лись: And then you dropped out of sight.
44. Со́кол я́сный: (my) bright falcon: an endearment from popular songs: My dear (my dear fellow).
45. Как заче́м? What do you mean — What for?
46. Да что ты, ми́лый. . . .: Ah, go on. . . .
47. я и то . . .: Even I. . . .
48. ни при чём: has nothing to do with it.

49. Ну, ма́ло ли кто . . .: Well, no matter who; there are quite a few (i.e., many) who. . . .
50. Огонёк: The name of a popular illustrated magazine.
51. Глаз не отрыва́ют: They cannot tear themselves away; (their eyes are glued to it . . .).
52. Семь бед — оди́н отве́т: A proverb: in for a penny, in for a pound.
53. Варфоломе́евская ночь: Massacre of St. Bartholomew (1572).
54. Ре́жьте, imperative: ре́зать; коли́те, imperative: коло́ть.
55. Э́то вы всё устро́или: This is all your doing.
56. Поздра́вим от се́рдца: Let's congratulate them wholeheartedly.
57. Да ну́ тебя́ в боло́то: go, jump in the lake (into the bog); make yourself scarce.
58. Граф Мо́нте-Кри́сто: a versatile hero of the French novel by A. Dumas (1803–1870).

Вопро́сы

1. Кто прихо́дит из са́да?
2. Почему́ он говори́т ма́тери об обе́де?
3. Что он принёс? Куда́ он их опуска́ет?
4. Как называ́ет Ола́дьева его́ мать? Почему́?
5. Кто Ола́дьев? Как он говори́т о свое́й спу́тнице жи́зни?
6. Куда́ должна́ уе́хать его́ дочь На́дя?
7. Почему́ А́нна Тимофе́евна не хо́чет что́бы На́дя уе́хала в Москву́?
8. Почему́ Илья́ Корзу́хин недово́лен?
9. Како́й у него́ конфли́кт с Ола́дьевым?
10. Как он говори́т об иску́сстве?
11. Кто забракова́л рабо́ту На́ди? Почему́?
12. Что расска́зывает Вале́рия о свое́й пое́здке?
13. Как её встре́тили в Москве́?
14. Был ли По́сохов в Москве́? Как его́ называ́ет Ола́дьев?
15. О чём суда́чат на заво́де?
16. Почему́ Ола́дьев называ́ет свою́ жену́ адвока́том?
17. Како́й сюрпри́з пригото́вил Плато́н Ива́нович сво́ей жене́?
18. О ком говори́т Вале́рия с На́дей?
19. Кто тако́й Генна́дий Перепёлкин?
20. Что он даёт На́де?
21. Как он расска́зывает о свое́й пое́здке на Вы́ставку?
22. Кто присуди́л пе́рвый приз? Кому́?
23. Куда́ Илья́ с На́дей должны́ пое́хать?
24. О чём Перепёлкин говори́т с Вале́рией Анато́льевной?
25. Что привёз он А́нне Тимофе́евне?
26. Подвела́ ли А́нна Тимофе́евна? Как? Что она́ сде́лала?
27. Како́й разгово́р происхо́дит ме́жду Ола́дьевым и Перепёлкиным?
28. Почему́ Ола́дьев обвиня́ет Илью́ в преступле́нии?
29. В чём признаётся Перепёлкин?
30. Кого́ вызыва́ют по телефо́ну? Почему́ Вале́рия не получи́ла при́за?

APPENDIX

The declension of possessive adjectives is different from that of the ordinary adjectives. An example is given in full:

ба́бушкин дом; внук	ба́бушкина побе́да	ба́бушкины
ба́бушкина до́ма; вну́ка	ба́бушкиной побе́ды	ба́бушкиных
ба́бушкину до́му; вну́ку	ба́бушкиной побе́де	ба́бушкиным
ба́бушкин дом;	ба́бушкину побе́ду	ба́бушкины
ба́бушкина вну́ка		ба́бушкиных
ба́бушкиным до́мом; вну́ком	ба́бушкиной побе́дой	ба́бушкиными
ба́бушкином до́ме; вну́ке	ба́бушкиной побе́де	ба́бушкиных

The possessive adjectives ending in -ов; -ев; -ова; -ева; -ово; -ево have the same declension. The *surnames* with similar endings (Ба́бушкин, Ива́нов, Серге́евы, etc.) are declined like the possessive adjectives, except that in the *prepositional case*, masculine singular, the ending is е. For example. Мы говори́м о това́рище Ба́бушкине, Ива́нове, Серге́еве.

VOCABULARY

This vocabulary is limited to the needs of this book.

The gender of the nouns can be deduced from their terminations. Those nouns ending in consonants or in **-й** are masculine; those in **-а** or **-я**, mostly feminine; those in **-о** or **-е**, neuter. The gender has, therefore, only been indicated in a few ambiguous cases and in the case of those nouns ending in **-ь**, which may be either masculine or feminine; thus: (m.) or (f.).

Of the adjectives, the short (predicative) form is given only in those instances when this form occurs in the text.

The aspects of the verbs are indicated by I. (imperfective aspect) and P. (perfective aspect).

ABBREVIATIONS

acc.	accusative	loc.	locative
adj.	adjective	m.	masculine
adv.	adverb	n.	neuter
compar.	comparative	nom.	nominative
conj.	conjunction	p.	person
dat.	dative	P.	perfective aspect
dim.	diminutive	pl.	plural
f.	feminine	prepos.	preposition
gen.	genitive	pres.	present
I.	imperfective aspect	pron.	pronoun
imp.	impersonal	s.	singular
imper.	imperative	superl.	superlative
indecl.	indeclinable		
instr.	instrumental		

А

а, and, but, ah!
а́вгуст, August;
а́вгустовский, adj., August
авто́бус, autobus
а́втомаши́на, automobile
а́втор, author
авторите́тно, authoritatively, with authority
ага́, aha!
агроно́м, agronomist
агрономи́ческая нау́ка, science of agronomy
агрономи́ческий, -ая, -ое, -ие, agricultural, agronomical
адвока́т, lawyer, promoter
а́дрес, address
адресу́ясь, pres. gerund, адресова́ться, адресу́юсь, -ешься, -ются, I., to address, appeal
акаде́мик, academician
академи́ческий, -ая, -ое, -ие, academic
акаде́мия, academy
аккура́тный, -ая, -ое, -ые, accurate, tidy
алло́, hello
алта́ец, nom. pl., алта́йцы, inhabitant of the Altai region
Алта́й, Altai
алта́йский, adj., Altai
альпини́ст, mountain climber
Аме́рика, America
амни́стия, amnesty
а́нгел, angel
с а́нгелом вас, I congratulate you upon your nameday
а́рмия, army
арома́т, aroma, fragrance
арте́ль (f.), workmen's association
арти́ст, artist, actor
аспира́нт, candidate for a degree
афи́ша, poster, announcement
аэродро́м, airport

Б

ба́ба, peasant woman
ба́бушка, grandmother; ба́бушкин, -а, -о, -ы, adj., grandmother's
ба́за, base
бандеро́ль (f.), wrapper, band, label
ба́нковский, adj., bank; ба́нковский биле́т, bank-note
ба́ня, bath-house, public baths
ба́рышня, young lady
ба́тюшка, dim. of оте́ц, father, (my) dear Sir, (my) dear; ба́тюшки, my dears!
бац, smack, slap, bang
беги́-те, imper. of
бежа́ть, I., to run
беда́, grief, trouble, bother, misfortune
бе́дный, -ая, -ое, -ые, adj., poor
бежа́ть, бегу́, бежи́шь, бегу́т, I., to run
без, without
безвре́дный, -ая, -ое, -ые, adj., harmless
безвы́ходный, -ая, -ое, -ые, adj., desperate, inescapable
безгра́мотность (f.), illiteracy
безделу́шка, nick-nack, bauble
бе́здна, abyss
бездо́нный, -ая, -ое, -ые, adj., bottomless
безмо́лвный, -ая, -ое, -ые, adj., silent, speechless
безнадёжно, adv., hopelessly
безобра́зие, indecency
безобра́зничать, I., to behave indecently, abominably; misbehave
безопа́сно, adv., safe-ly
безрабо́тный, -ая, -ое, -ые, adj., jobless
безу́мец, nom. pl. безу́мцы, madman, crazy man
безупре́чно, adv., irreproachable, -ly
Беломо́р, White Sea: tobacco/cigarette brand
бе́режно, adv., carefully
бере́т, beret (cap)
берёт, 3rd p.s. of брать
берёшься, 2nd p.s. of бра́ться, I., to take upon oneself

бери́-те, imper. of брать, to take
беру́сь, see браться
бесе́да, discussion
бесе́довать, бесе́дую, бесе́дуешь, -ют, I., to converse, talk, chat
беспла́тно, adv., without pay, free, gratis
беспоко́йный, -ая, -ое, -ые, adj., restless, uneasy, disturbing
беспоко́йство, uneasiness, worry
беспоко́ить, I., to disturb
беспоко́иться: беспоко́юсь, I., to worry, to be uneasy
бесси́льно, adv., weakly, helplessly, impotently
библиоте́ка, library
библиоте́чный, -ая, -ое, -ые, adj., library
биле́т, ticket
биогра́фия, biography
би́тый, -ая, -ое, -ые, adj., beaten
би́тых полчаса́, for a whole half-hour
бла́го, good, welfare
благода́рен, благода́рна, grateful
благодари́ть, I., to thank
благоро́дный, -ая, -ое, -ые, adj., noble, noblehearted
бле́клый, -ая, -ое, -ые, adj., faded
ближа́йший, -ая, ее, ие, adj., nearest, closest
бли́же, nearer, closer; compar. of бли́зкий
бли́зкий, -ая, -ое, -ие, adj., near, close
бли́зко, adv., near
блиста́тельный, -ая, -ое, -ые, adj., brilliant
блю́до, plate, dish
Бог, God
Сла́ва Бо́гу, thank the Lord, thank God
ра́ди Бо́га, for Heaven's sake
дай Бог, may the Lord give (grant)
богате́йший, -ая, -ее, -ие, superl. of бога́тый
бога́тый, -ая, -ое, -ые, adj., rich
Бо́же, Oh, Lord
бок, side
на боку́, sideways, on one side
боково́й, -ая, -ое, -ые, adj., side (line), aside
бо́лее, more
тем бо́лее, so much the more
боло́то, bog, marshy ground
боло́товский, adj. marshy
болта́ть, I., to prattle
болта́ться, I., to loiter
боль (f.), pain ache
бо́льно, adv., painfully
не бо́льно, not very, not much
бо́льно, very much, too much
больно́й, -ая, -ое, -ые, adj., ill, sick
больша́к, leader, a person of importance, village elder
бо́льше, more
бо́льше не, no longer
не бо́льше, no more
большо́й, -ая, -ое, -ие, adj., large, great, big
боро́ться: борю́сь, бо́решься, -ются, I., to struggle
борьба́, struggle, fight
боя́ться: бою́сь, бои́шься, -ятся; imper. бо́йся, бо́йтесь, I., to fear, to be afraid
брак, marriage; condemned product
брат, nom. pl. бра́тья, brother, fellow
наш брат, our kind
бра́тец, gen. s. бра́тца, dim. of брат
бра́тия, brethren, fellows, companion
брать: беру́, берёшь, беру́т, I., to take
бра́ться: беру́сь, берёшься; -утся, I., to undertake, take up, upon oneself
бре́дить: бре́жу, бре́дишь, бре́дят, I., to rave
брига́да, brigade
бри́чка, light carriage
бро́нза, bronze
броса́ть, I., to throw (down, away)
броса́ться, I., to rush, to throw oneself at (upon)
бро́сить: бро́шу, бро́сишь, -ят, P., to throw, abandon

бро́сь-те, imper. of бро́сить
бу́дем, fut, 1st p. pl. of быть
бу́дет, 3rd p. s. fut. of быть; enough!
бу́дешь, 2nd p. s. fut. of быть
бу́дничный, -ая, -ое, -ые, adj., everyday
бу́ду, 1st p. s. быть
бу́дто, as though, as if, though
бу́дущее, future
бу́дущий, -ая, -ее, -ие, adj., future, next
бу́дь-те, imper. of быть
буке́тик, dim. of букет, bouquet
бума́га, paper
бу́ря, storm
бутафо́рия, stage property
бутербро́д, sandwich
бу́тылка, bottle; бутылочный, adj., bottle
буфе́т, foyer
бы, б, particle used to express the conditional and subjunctive moods
быва́ет, 3rd p. s. быва́ют, 3rd p. pl. of быва́ть
быва́ть, I., to happen, to be, take place
был, -а, -о, -и, past tense of быть
бы́стро, adv., fast, quickly
быть: fut. бу́ду, бу́дешь, бу́ду́т, to be, to exist
бюдже́т, budget
бюрокра́т, bureaucrat

В

в, во, in, into, at
ваго́н, car
ва́жно, adv., (it is) important-ly
ва́жный, -ая, -ое, -ые, adj., important
ва́зочка, dim. of ва́за, vase
вал, heap of rubbish, refuse
валансье́нский, -ая, -ое, -ие, adj., Valenciennes
вали́ться: валю́сь, ва́лишься, -ятся, I., to fall down, drop, totter
вам, dat. of вы
варе́нье, jam, preserves
вариа́нт, variation
вари́ть: варю́, ва́ришь, -ят, I., to cook
вас, see вы
у вас, you have
Ва́ся, dim. of Васи́лий, Basil
ваш, ва́ша, ва́ше, ва́ши, your, yours
вая́тель (m.), sculptor
вбега́ть, I., вбежа́ть, P., to run in, burst in
вдали́, adv., at a distance
вдохнове́нный, -ая, -ое, -ые, adj., inspired
вдре́безги, adv., smithereens
вдруг, adv., suddenly
веду́, see вести́
ведь, but, don't you know, well then, you must know
ве́жливость (f.), politeness
веле́ть: велю́, вели́шь, -ят, I., to command, order
вели́кий, -ая, ое, ие, adj., great
велича́йший, superl. of великий
вели́чественный, -ая, -ое, -ые, adj., grand, imposing
Вене́ция, Venice
ве́ник, broom
вера́нда, veranda, porch
ве́рится (with dat.), one believes
ве́рить, I., to believe, trust
верне́е, rather, to be more exact
ве́рно, adv., (it is) true, truly, indeed
верну́сь, вернёшься, -утся, fut. of верну́ться,
верну́ться, P., to return, come back
ве́рный, -ая, -ое, -ые, adj., faithful, true
вероя́тно, adv., probably
верста́, verst: land measure 3,500 English feet
весёлость (f.), gayety
весёлый, -ая, -ое, -ые, adj., gay, cheerful
весе́нний, -яя, -ее, -ие, adj., spring
весна́, spring
весно́й, in the spring
вести́: веду́, -ёшь, -у; p. вёл-а́, -о́, -и́, I., to lead, conduct, manage
весь, вся, всё, все, whole, entire

весьма́, very, exceedingly
ве́тер, gen. s. ве́тра, wind
ве́чер, nom. pl. вечера́, evening
вечери́нка, ве́чер, evening party
вече́рний, -яя, -ее, -ие, adj., evening
ве́чером, in the evening
ве́чно, for ever, always, eternally
ве́шать, I., to hang up
ве́щь (f.), thing, object
взволно́ванно, excitedly
взгляд, glance, look, opinion
взгляну́ть, P., to glance, have a look
вздор, nonsense, rubbish
вздох, sigh
вздохну́ть, P., to sigh
вздра́гивать, I., вздро́гнуть, P., to start, shudder
взду́мать, P., to get it in one's head; to design, intend
вздыха́ть, I., to sigh
взмоли́ться, P., to implore
взор, look, glance
взорва́ться: взорву́сь, взорвёшься, P., to explode, flare up
взро́слый, -ая, -ое, -ые, adj., grown up
взрыва́ться, I., to flare up, blow up
взять: возьму́, возьмёшь; -ут, fut. P. of брать
вид, appearance, view, aspect
что за вид, what a sight, what you look like
в тако́м ви́де, in such a state, looking like that
де́лать вид, to pretend
вида́ть, I., to see
ви́ден, видна́, ви́дно, видны́, seen
ви́деть: ви́жу, ви́дишь, ви́дят, I., to see
ви́димо, apparently
ви́дишь, see ви́деть
ви́дно, clearly, (it is) clear, obvious
ви́дя, pres. gerund: ви́деть
вина́, fault
вини́ться, to repent, admit one's guilt, confess
винова́т, -а, -о, -ы, guilty, to be at fault, I beg (your) pardon, sorry
винова́то, guiltily
вино́вник, culprit
висо́к, gen. s. виска́, temple
вишнёвый, -ая, -ое, -ые, adj., cherry, ви́шня, cherry
вко́панный, -ая, -ое, -ые, rooted (to the spot)
вкус, taste, predilection
владе́лец, gen. s. владе́льца, owner
вложи́ть, P., to deposit, put in
влюби́ться, P., влюбля́ться, I., to fall in love
влюблён, -á, -ó, -ы́, in love
влюблённость (f.), being in love
вме́сте, together
вме́сто, instead of
вме́шиваться, вме́шиваюсь, -ешься, -ются, I., to interfere
внача́ле, at first, at the beginning
вне, outside, not in
вне о́череди, ahead of one's turn
внедря́ть, I., to instil, inculcate
внеза́пный, -ая, -ое, -ые, adj., sudden, unexpected
вне́шний, -яя, -ее, -ие, outside
внима́тельный, -ая, -ое, -ые, adj., attentive
вноси́ть: вношу́, вно́сишь, вно́сят, I., to bring in, contribute
во́все, at all, completely, altogether
во́все не, not at all
вода́, water
возбуждённый, -ая, -ое, -ые, excited
возвраща́ться, I., to return, come back
возвы́шенный, -ая, -ое, -ые, elevated, exalted
возглавля́ть, I., to head, be a chief
возде́йствовать: возде́йствую, -вуешь, -уют; I., to influence, act upon
воздержа́ться: воздержу́сь, -ишься, –атся, P., to refrain, restrain
возмо́жно, possibly, (it is) possible
возмо́жный, -ая, -ое, -ые, adj., possible
возмути́тельно, revolting, disgusting
возмущённо, indignantly
возрожде́ние, revival, regeneration; Renaissance

возьми́-те, imper. of взять
война́, war
вои́нственно, belligerently
войти́: войду́, войдёшь, -ут, P., to enter, come in
вокза́л, station
вокру́г, around
волне́ние, emotion, excitement
волнова́ться: волну́юсь, -ешься, -уются; I., to get excited, to be upset, to worry
во́лосы (pl.), gen. воло́с, hair
во́ля, will, freedom, liberty
вон, there, there you see
  вон где, that's where
  вон! get out!
  вон отсю́да! get out of here!
вообража́ть, I., to imagine
вообрази́ть: воображу́, вообрази́шь, P., to imagine
вообще́, in general, generally
вопию́щий, -ая, -ее, -ие, crying, clamoring
вопро́с, question, inquiry, matter
вопроси́тельный, questioning
вор, thief
воро́ванный, -ая, -ое, -ые, stolen
воробе́й, nom. pl. воробьи́, sparrow
воро́на, crow
восемна́дцать, eighteen
во́семь, eight
воскресе́нье, Sunday
воспева́ть, I., to sing, praise
воспи́тан-а, -о, -ы, brought up
воспи́танница, pupil; ward
воспи́тывать, I., to bring up, to develop, to foster
воспрети́ть: воспрещу́, воспрети́шь; воспретя́т, P., to forbid, prohibit
восста́ть: восста́ну, восста́нешь, -ут; P., to be against, to object
восто́рженно, enthusiastically
восходя́щий, -ая, -ее, -ие, ascending, rising
восьмо́й, -ая, -ое, -ые, eighth
вот, here, look here, well now
  вот ви́дишь, now you see
  вот, вот, that's just it
  вот-де, I, says he
  вот ещё что, that's the limit; what now; и вот, now and then; and here
  вот и́менно, that's it
  вот сейча́с, here now, well, right away
  вот то-то, that's just it
  вот тебе́ на́, there you have it; I did not expect this
  вот тут, right there
  вот что, this is what
вошла́, вошёл, вошли́, past of войти́
впервы́е, for the first time
впечатле́ние, impression
вплотну́ю, closely, wholly
вполне́, quite, completely, entirely
впро́чем, however
враг, foe, enemy
врать: вру, врёшь, врут, I., to lie, deceive
вре́дный, -ая, -ое, -ые, adj., pesky, nasty, harmful
вре́дно, harmful-ly
вре́мя, time
  как во́-время, on time, just in time
  не во́-время, bad time; inopportunely
вро́вень, on the same level
вро́де, somewhat like
вря́д-ли, unlikely
все, pl. of весь, all, everybody
всё, all, everything
  всё вре́мя, all this time
  всё равно́, just the same, all the same
  всё же, still in spite of everything
  всё-таки́, nevertheless, still however, just the same
всегда́, always
всего́, gen. of весь, entire, whole, all told, altogether
всесою́зный, -ая, -ое, -ые, adj., all-union
вска́кивать, I., to jump up
вско́ре, shortly after, soon
всле́д, after
всплесну́ть, P., to clasp one's hands; to wave one's hands

вспо́мнить, P., to recall, remember
вспыли́ть, P., to get angry, lose one's temper
вспы́хнуть, P., to turn red, to flare up
встава́ть: встаю́; встаёшь, -ют, I., to rise, get up
вставля́ть, I., to insert, put in
встаёт, 3rd p. pres. s. встава́ть
встать: вста́ну, вста́нешь, -ут, P., to rise, get up, stand up
встре́тить: встре́чу, встре́тишь, встре́тят, P., to meet
встре́титься: встре́чусь, P., встреча́ться, I., to meet
встре́ча, meeting
встреча́ть, -ся, I., to meet
вся́кий, -ая, -ое, -ие, adj., all kinds of, everyone, everybody
вся́ческий, adj., various, all kinds
всхли́пывать, I., to sob, whimper
второ́й, -ая, -ое, -ые, second
во-вторы́х, in the second place
вуз: вы́сшее учёбное заведе́ние, institution of higher learning
вход, entrance
входи́ть: вхожу́, вхо́дишь, вхо́дят, I., to enter
входя́щий, -ая, -ее, -ие, incoming, coming in, arriving
вчера́, yesterday
вы, вас, вам, вас, ва́ми, о вас, you
выбега́ть, I., to run out
вы́брать: вы́беру, вы́берешь, вы́берут, P., to select, choose, pick
вы́браться: вы́берусь, -ешься, -утся, P., to get out, leave, extricate
вы́бросить: вы́брошу, вы́бросишь, вы́бросят, P., to throw away
вы́брось-те, imper. of вы́бросить
вы́веска, sign, advertisement
вы́вести: вы́веду, -ведешь, -ут, P., to lead out
вы́глядеть: вы́гляжу, вы́глядишь, вы́глядят, I., to look, appear
вы́говорить, P., to utter, pronounce
выдаю́щийся, выдаю́щаяся, -еeся, – иеся, outstanding, prominent
выделя́ть-ся, to allot, set out
вы́держать: вы́держу, -ишь, -ат, P., to hold out, to pass
вы́думать, P., to imagine, think up
выезжа́ть, I., to leave, go away
вы́ехать: вы́еду, вы́едешь, -ут, P., to go away, leave
выжима́ть, I., to squeeze out
вы́звать: вы́зову; вы́зовешь, вы́зовут, past: вы́звал, -а, -о, -и, P., to call, summon
вы́йдет, (will) come out, the result will be see: вы́йти
вы́йти: вы́йду, вы́йдешь, вы́йдут; вы́шел, вы́шла, вы́шли, P. of выходи́ть, to come out, go out
выкрута́сы, fancy tricks, turns and twists
вы́курить, P., to smoke (out)
вынима́ть, I., to take out
выноси́ть: выношу́, выно́сишь, -ят, I., to tolerate, to endure,
вы́нужден, -а, -о, -ы, forced
вы́нуть, P. of вынима́ть, to take out, pull out
вы́пал, -а, -о, -и, past of вы́пасть: вы́паду, вы́падешь, -ут, P. of выпада́ть, to fall, drop
вы́пей-те, imper. of вы́пить: вы́пью, -пьешь, -пьют, P. of пить, to drink
выпива́ть, I., to drink
вы́пить, P., to drink
выплатно́й, paying
вы́полнен, -а, -о, -ы, fulfilled, carried out
вы́полнить: вы́полню, вы́полнишь, -ят, P., to fulfil, carry out, keep
выполня́ть, I., to perform, to do
выпрова́живать, I., to send off, dispatch
выпуска́ть, I., to let go, release
вы́пускник, senior student, graduating student
выраже́ние, expression
вы́ронить, P., to drop
вы́рос, вы́росла, вы́росло, -и, past of вы́расти, P., to grow up
вы́рости: вы́расти, P., to grow
вы́сказаться: вы́скажусь, -ешься, -утся, P., to express oneself

выска́зывание, expression, statement
вы́скочить, P., to leap
вы́скочить за́муж, to plunge (leap) into a marriage
вы́слушай-те, imper. of вы́слушать, P., to hear out
высо́кий, -ая, -ое, -ие, adj., high, lofty
высота́, height
высо́ты, heights
вы́ставка, exposition, exhibit
вы́ставлен, -а, -о, -ы, presented, вы́ставленный, exhibited
вы́ставочный, -ая, -ое, -ые, adj., pertaining to an exposition
выступа́ть, I., to come out
вы́ступить: вы́ступлю, вы́ступишь, -ят, P., to come out, appear
вы́сший, -ая, -ее, -ие, highest, superior
вытаскивать, I., to pull out
вытира́ть, I., to wipe
вы́тру, вы́трешь, вы́трут, fut. of вы́тереть, P., to wipe
выхва́тывать, I., to tear out, seize
вы́ход, exit, way out, appearance
выхо́дит, it means, it turns out, the result is, 3rd p. s. of выходи́ть, I.
выходи́ть: выхожу́, выхо́дишь, -ят, I., to go out, come out
выходи́ть, I., вы́йти, P. за́муж, to marry
вы́ходить, P., to bring up, look after
выходно́й, day off, rest day
выходно́й день, day off
вы́ше, above, higher
вы́шло, past of вы́йти: вы́шел, вы́шла, came out
вы́яснить, P., to clarify
вы́ясниться, P., to clear up: вы́яснилось, it turned out, it was explained

Г

гада́ть, I., to guess
газе́та, newspaper
гак, ме́ра земли́, from German: Haken: land measure
верста́ с га́ком, approximate length, usually much longer than a mile
гармони́ровать: гармони́рую, -ешь, -уют, I., to harmonize
гармони́ст, harmonica player
гармо́шка, harmonica
под гармо́шку, to the accompaniment of a harmonica
гастрономи́ческий, -ая, -ое, -ие, adj., gastronomical
где, where
где́-то, somewhere
гениа́льный, -ая, -ое, -ые, adj., ingenius
географи́ческий, -ая, -ое, -ие, adj., geographic-al
геогра́фия, geography
геро́й, hero
гла́вный, -ая, -ое, -ые, adj., main, chief, head
Главфарфо́р, Гла́вное Управле́ние по произво́дству фарфо́ра, Head Office for the production of porcelain
глаго́л, verb
гла́дкий, -ая, -ое, -ие, adj., smooth, even
гла́дко, adv., smoothly
глаз, nom. pl. глаза́, eye
глаз не отрыва́ют, they cannot take their eyes away
глотну́ть, P., to swallow
глубина́, depth
глу́бже, compar. of глубо́кий
глубо́кий, -ая, -ое, -ие, adj., deep
глу́по, foolish-ly
глу́пость (f.), foolishness, stupidity
глухо́й, -ая, -ое, -ие, adj., deaf
глу́хо, adv., dully (muffled sound)
гляди́-те, imperative of гляде́ть: гляжу́, гляди́шь, глядя́т, I., to look
гнев, anger
гнездо́, nest
гнило́й, -ая, -ое, -ые, adj., rotten
говори́ть: говорю́, говори́шь, I., to speak, say, tell

год, nom. pl. го́ды, year, age
годо́к, dim. of год
голова́, head
го́лос, voice
голу́бушка, (my) darling
голу́бчик, (my) darling, my dear
горди́ться: горжу́сь, горди́шься, -ятся, I., to be proud
го́рдость (f.), pride
го́рдый, -ая, -ое, -ые, adj., proud
горла́нить, I., to brawl, shout
го́рло, throat
го́рный, -ая, -ое, -ые, adj., mountain, mountainous
го́род, town, city
городско́й, adj., city, civil
Горсове́т: Городско́й Сове́т, City Council
го́рюшко, dim. of го́ре, grief
го́рький, -ая, -ое, -ие, adj., bitter
го́рько, adv., bitter-ly
горя́чность (f.), ardor, hot temper
горячо́, hotly, heatedly, ardently
го́спиталь (m.), hospital
Го́споди, Oh Lord
гости́ная, living room
гости́ница, inn
госуда́рственный, -ая, -ое, -ые, adj., state, governmental
гость (m.), pl. го́сти, guest; в гостя́х, (to be) visiting
гото́вить: гото́влю, гото́вишь, -ят, I., to prepare
гото́виться: гото́влюсь, I., to prepare
граждани́н, гражда́нка, citizen
гра́мотность (f.), literacy
грана́та, shell, grenade
грани́ца, border, limit; за-грани́цей, abroad
граф, Count (title)
грацио́зность (f.), daintiness, gracefulness
грех, sin
гро́мкий, -ая, -ое, -ие, adj., loud
гро́мко, loudly, aloud
гро́хот, rumble, racket, din, crash
грубе́йший, -ая, -ее, -ие, superl. of гру́бый, rude, crude, flagrant
грубия́н, rude person
грудно́й, breast, chest
гру́зно, adv., heavily
грузови́к, truck
грузово́й, -ая, -ое, -ые, heavy, truck, freight
гру́ппа, group
гря́зный, -ая, -ое, -ые, adj., muddy, dirty
гудо́к, gen. s. гудка́, whistle
гул, hum, din, rumble
гуля́ть, I., to stroll, walk, to amuse oneself, to lead a fast life

Д

да, yes, and, but
ну да, well, yes
да вот, now here, look here
да то́же, too, well, also
да нет, but no, but why
да ну, really
дава́й-те, imper. of дава́ть: даю́, даёшь, даю́т, I., to give
дава́ть о себе́ знать, to reveal oneself, to let know
давно́, long; long ago, long since: давно́ ли, was it long ago
даёт, 3rd p.s. of дава́ть
да́же, even
да́й-те, imper. of дать
да́лее, further, farther
далеко́, far, distant
ещё далеко́, a long way off
да́ли, 3rd p. pl. past: дать
да́льний, -яя, -ее, -ие, adj., distant, far
да́льше, farther, further
дар, gift, talent
Да́рья, Darya
дать: дам, дашь, даст, дади́м, дади́те, даду́т; дал, дала́, да́ли, P., to give
да́чник, vacationist
да́ча, Summer cottage
да́чный по́езд, Summer resort train
два, две, two
ни два, ни полтора́, neither here nor there
два́дцать, twenty
два́жды, twice

две, двух, двум, две/двух, двумя́, двух, two
двена́дцать, twelve
две́рца, (dim.) door of a car
дверь, (f.), door
дви́гаться, I., to move
движе́ние, movement, traffic
дви́жется, 3rd p.s. of дви́гаться
де /де́скать/, (I), says he
дева́л, 3rd p.s., past: дева́ть, I, to put away, place
дева́ться, I., to retire, to become
деви́ца, maid, maiden, girl
де́вочка, little girl
де́вушка, gen. pl.: де́вушек, young girl
девча́та, (pl.), village girls
девятна́дцать, nineteen
де́вять, nine
де́йствие, act, action, activity
действи́тельно, really, indeed, actually
действи́тельность (f.), reality
де́йствовать: де́йствую, де́йствуешь, -ют, I., to act, affect, effect
де́йствующий, -ая, -ее, -ие, acting
де́лать, I., to do, to make
де́латься, I., to be made, done
делика́тный, -ая, -ое, -ые, adj., delicate, fine, sensitive
дели́ть, I., to divide, share
де́ло, affair, business, goings on, task, work, matter, concern
  в са́мом де́ле, indeed, really
  быть в ку́рсе де́ла, to be fully informed
  по ли́чному де́лу, on personal matter
  друго́е де́ло, another matter
  но де́ло в том, the matter is that. . .
делови́то, businesslike
де́льце, dim. of де́ло
деля́ческий, -ая, -ое, -ие, adj., money-making, profiteering
демаго́гия, demagogy
де́нежный, monetary
день, дня, дню, день, днём, о дне, day
  на днях, soon, within the next few days, recently
де́ньги (pl.), gen.: де́нег, money
дёргать, I., to pull
дереве́нский, -ая, -ое, -ие, adj., rural, countryside, village
дере́вня, village, country
держа́ть: держу́, де́ржишь, -ат, I., to keep, hold
держа́ться, I., to hold on, keep
дёрнуть, P., to pull
деся́ток, ten
де́сять, ten
де́ти, nom. pl. of дитя́, child
де́тство, childhood
деть: де́ну, де́нешь, де́нут, P. of дева́ть, to put, place
де́ться, P. of дева́ться, to put
диале́ктика, dialectics
диало́г, dialogue
диви́ться: дивлю́сь, диви́шься, -ятся, I., to wonder, to be amazed
ди́вный, -ая, -ое, -ые, adj., wonderful
ди́во, wonder
  ди́ву дава́лись, were greatly surprised, overwhelmed
диктова́ть: дикту́ю, дикту́ешь, -ют, I., to dictate
дина́стия, dynasty
дипло́м, diploma
дире́ктор, director
диссерта́ция, dissertation
дитё (folk), of дитя́, child
  поде́тски, like a child
ди́тятко (dim.) of дитя́
для, for
  для чего́, what for, why
дни, nom. pl. of день
до, till, until, up to, as far as
добе́йся, imper. of доби́ться: добью́сь, добьёшься, -ются, P., to attain, achieve, to reach
добира́ться, I., to reach
добра́ться: доберу́сь, доберёшься, -утся, P., to get as far as, reach
добро́, good, well
доброду́шный, -ая, -ое, -ые, adj., good-natured
до́брый, -ая, -ое, -ые, kind, good
дове́рить, P. of доверя́ть, to entrust

дово́лен, дово́льна, дово́льны, pleased, satisfied

дово́льно, enough, suffice, rather

догада́ться, Р., to guess

дога́дываться, I., to guess, make out

договори́ться, Р., to make terms, to come to terms, agree

догоня́ть, I., to catch up, to overtake

дое́хать: дое́ду, дое́дешь, дое́дут, Р., to go, reach

дожда́ться: дожду́сь, дождёшься, -утся, Р., to wait, await

дожида́ться, I., to wait

докла́д, report

докопа́ться, Р., to get down to the bottom, to find out

докуме́нт, document

долг, debt, obligation

до́лго, long, for a long time

до́лжен, должна́, должны́, one must, one has to

до́лжность (f.), service, duty
   должностно́й, official, functional

до́ллар, dollar

доложи́ть: доложу́, доло́жишь, -ат, Р., to report

до́ля, lot, bit, trace, share

дом, house
   до́ма, at home
   домо́й, home, homeward

доморо́щенный, -ая, -ое, -ые, home-grown

допива́ть, I., to drink up

дополни́тельный, -ая, -ое, -ые, adj., supplementary

допусти́ть: допущу́, допу́стишь, -ят, Р. of допуска́ть, to allow, to let, to permit

доро́га, road, way

доро́жка, dim. of доро́га, доро́гой, on (my) way
   по доро́ге, on the way to, along the same way

дорого́й, -а́я, -о́е, -и́е, adj., dear, expensive

доса́да, vexation

дослу́шай, imper. of дослу́шать, Р., to listen (hear out) to the end

достава́ть: достаю́, достаёшь, -ю́т, I., to get, obtain, produce

достава́ться, I., доста́ться, Р., to obtain, to be allotted, fall to one's share

доста́точно, enough, sufficient

доста́ть: доста́ну, доста́нешь, -ут; доста́л-а, о, и, Р., to obtain, to get

дости́гнуть, Р., to attain, to reach

достиже́ние, achievement

досто́инство, dignity, merit, quality

дохо́д, income

дохо́дный, -ая, -ое, -ые, adj., gainful, advantageous, profitable

дохо́дчивый, -ая, -ое, -ые, adj., accessible

дочь, до́чери, до́чери, дочь, до́черью, до́чери, daughter

до́чка, dim. of дочь

доце́нт, lecturer (at a university)

драгоце́нный, -ая, -ое, -ые, adj., precious

дре́вний, -яя, -ее, -ие, adj., ancient, decrepit

дрему́чий, -ая, -ее, -ие, adj., dense, thick

дрожа́щий, -ая, -ее, -ие, shaking, shaky

друг, friend
   друг дру́гу, to one another

друго́й, -ая, -ое, -ие, adj., other, another, different
   друго́е, something else

дружи́ть, I., to make friends, be friends

друзья́, друзе́й, друзья́м, друзе́й, друзья́ми, друзья́х, pl. of друг

дрянь (f.), rubbish

ду́май-те, imper. of ду́мать, I., to think

дури́ть, I., to fool, to be befuddled

ду́рно, adv., bad-ly

ду́рость (f.), stupidity

дух, spirit, breath

душа́, soul

дым, dim.: дымо́к, smoke

дыми́ть, I., to issue smoke, to smoke

дыха́ние, breath, breathing

дыша́, breathing: gerund of дыша́ть: дышу́, ды́шишь, -ат, I., to breathe

Е

его́, see: он
едва́, hardly
едини́ца, unit, help
е́ду, 1st p.s.: е́хать
е́дут 3rd p. pl.: е́хать
её, see: она́
ежего́дно, yearly
е́жели, if
е́здить: е́зжу, е́здишь, е́здят, I., to ride, to go (come and go)
ей, see: она́
ей-Бо́гу, honestly, upon my word
е́ле, hardly
ему́, see: он
ерунда́, nonsense
е́сли, е́сли б, if
есте́ственно, naturally
есть, 3rd p. present of быть, I., to be
есть, there is, yes
есть, yes, all right
  есть е́хать, yes, Sir (M'am), aye, let's go
есть: ем, ешь, едя́т, I., to eat
е́хать: е́ду, е́дешь, е́дут, I., to go, ride
ещё, still, yet, more, longer
  да ещё, and then, moreover
  ещё бы, of course, I should say so, what next
ею, see: она́

Ж

жале́ть, I , to pity, to be sorry
жа́лкий, -ая, -ое, -ие, adj., pitiful, wretched
жа́лко, sorry, pity, too bad
жа́ловать: жа́лую, жа́луешь, -ют, I., to favor, to like
жа́ловаться: жа́луюсь, жа́луешься, -ются, I., to complain
жаль, it is a pity, too bad
  как жаль, too bad
  мне жаль, I am sorry
жа́реный, -ая, -ое, -ые, adj., fried
жари́ща, heat (augmentative)
жа́ркий, -ая, -ое, -ие, adj., hot, warm, passionate
жать: жму, жмёшь, жмут, I., to squeeze, press
  жмёт ру́ку, (he) shakes (my) hand
ждать; жду, ждёшь, ждут I., to wait, await, expect
же, ж, too, now (added for emphasis)
жела́ть, I., to wish, desire
желе́знодоро́жный, adj., railroad, railway
жена́, wife
жени́тьба, marriage
жени́ться, I, & P., to marry
жени́х, fiancé, bridegroom
жёнушка, dim. of жена́
же́нщина, woman
жест, gesture, motion
жив, -а́, -о, -ы, alive
  жив-здоро́в, in good health, hale and hearty
жи́во, quickly, alertly
жи́вопись (f.), painting
  живопи́ска, woman painter
живу́, see: жить
Жигулёвское, adj., from Жигули́, a place near the Volga river
жи́зненный, -ая, -ое, -ые, adj., living
жизнь (f.), life
жил-а́, -о, -и, p. of жить
жи́лка, dim. of жи́ла, vein
  торго́вая жи́лка, business sense, ability
жите́йский, -ая, -ое, -ие, adj., of life, living, worldly
жить: живу́, живёшь, живу́т, I., to live
журна́л, magazine
жюри́, jury

З

за, for, by, during, behind, beyond, at
  за кру́жкой, while (drinking) a mug (of beer)
  за что, what for
забеги́-те, imper. of забежа́ть, P., to drop in
заберу́, заберёшь, заберу́т, fut. of забра́ть, P. of забира́ть, to take

забеспоко́иться, P., to be uneasy
забива́ть, I., to stuff, fill
забива́ть го́лову, to stuff one's head with nonsense
заблужда́ться, I., to be mistaken, to be wrong
заблужде́ние, misunderstanding, error
забо́та, care, worry, trouble, anxiety
забракова́ть: забраку́ю, забраку́ешь, -ют, P., to condemn, turn down
забыва́ть, I., to forget
забы́ть: забу́ду, забу́дешь, -ут, P., to forget
забы́вчивый, -ая, -ое, -ые, forgetful
заведённый, -ая, -ое, -ые, established, started, wound
заве́дующий, manager
заве́дывать: заве́дую, заве́дуешь, -ют, I., to manage
завести́: заведу́, заведёшь, заведу́т, P., to establish, start, wind, lead
заве́т, will, testament, heritage
зави́довать: зави́дую, зави́дуешь -ют, I., to envy
завлека́ть, I., to lure, entice
заво́д, factory, plant
заво́дский, adj., factory
заво́дчик, factory owner
завоева́ть: завою́ю, завою́ешь, -ют, P., to conquer, win
за́втра, tomorrow
заву́ч, заве́дующий, -ая, учи́лищем, school superviser
зага́дочный, -ая, -ое, -ые, mysterious, enigmatic
загляну́ть, P., to look into
заговори́ть, P., to begin to talk
загоро́жен, -а, -о, -ы, fenced in
загс, за́пись а́ктов гражда́нского состоя́ния, bureau of vital statistics
зада́ча, problem, task
задева́ть, I., заде́ть: заде́ну, заде́нешь, -ут, P., to catch, to graze, to hit
задержа́ть: задержу́, заде́ржишь, P., to detain
задержа́ться, P., to be detained
заде́рживать, I., to hold up, delay
заде́рживаться, I., to linger
заду́мать, P., to plan, intend, propose
заду́мчиво, thoughtfully
заду́мываться, I., заду́маться, P., to ponder, muse, wonder, think
задыха́ться, I., to be out of breath
зае́дешь, 2nd p.s., fut., зае́хать, P., to call, drop in
заезжа́ть, I., to drop in, call, stop over
зажа́ть: зажму́, зажмёшь, -ут, P., to press hard, to stop
заика́ться, P., to stutter
займи́сь, займи́тесь, imper. of заня́ться, P., to get busy
зака́з, order
зака́шляться, P., to start coughing
зако́нчить, P., to finish, complete
закрепля́ть, I., to attach
закрыва́ть, I., to close, shut
закры́ть-ся, P., to close, to be closed
заку́ривать, I., to begin to smoke, P.: закури́ть, to light a pipe or a cigarette
зал, hall
зала́дить: зала́жу, зала́дишь, -ят, P., to say over and over, repeat
заливно́е, jellied meat or fish
зало́г, pledge
залп, discharge, draught
за́лпом вы́пить, to drink at one gulp
замедля́ть, I., to slow down
замелька́ть, P., to flash, flit
заме́на, change, substitution
замести́: замету́, заметёшь, -ут, P., to sweep
заме́тить: заме́чу, заме́тишь, -ят, P., to notice, remark
заме́тка, notice, review
заме́тно, noticeably
замеча́ть, I., to notice
замеча́ться, I., to be noticed
замира́ть, I., to stand still; to slow down
замолка́ть, I., to grow silent

за́мужем, married (woman)
заму́жество, marriage, married life
замя́ться, замну́сь, замнёшься, -утся, P., to hesitate, to stammer
занима́ть, I., to occupy, take, to borrow, entertain
занима́ться, I., to be occupied, to study
за́няли, 3rd p. pl. past of заня́ть, P., to occupy, take
за́нят, -а, -о, -ы, busy, occupied
заня́ть: займу́, займёшь, -ут, P., to occupy, take, borrow
зао́блачный, -ая, -ое, -ые, adj., above the clouds
зао́блачный путь, skyway
зао́чно, in one's absence, out of sight
запа́льчиво, vehemently, hotly
запаси́тесь, imper. of запасти́сь, P., to store up, provide
запа́хло, it smells
запа́хнуть, P., to smell
запере́ть: запру́, запрёшь, -ут, P., to shut
запира́ть, I., to shut, close
запи́сан, -а, -о, -ы, written down, inscribed
записа́ть: запишу́, запи́шешь, -ут, запиши́-те, imper. P., to write down
заплани́ровать: заплани́рую, заплани́руешь, -ют, P., to plan, make a blue print
заплати́ть: заплачу́, -пла́тишь, -ят, P., to pay
заподо́зрить, P., to suspect
запреща́ть, I., to forbid
за́просто, simply, without much ado
запыха́вшись, p. gerund of запыха́ться, to puff
зара́нее, beforehand
заре́з, to the last extremity, desperately (in need)
за́росль (f.), thicket
заседа́ние, meeting
заси́живаться, I., to overstay, to stay too long
заскору́злый, -ая, -ое, -ые, adj., hardened, tough
заслу́женный, -ая, -ое, -ые, worthy, of merit
заслу́живать, I., of заслужи́ть, P., to deserve, to merit, to earn
заста́ть: заста́ну, заста́нешь, -ут, P., to find, to meet
застёжка, clasp, lock
застря́нуть, застря́ть: застря́ну, застря́нешь, -ут, P., to stall, flounder, to stick, block up
заступи́ться, заступлю́сь, -ишься, -ятся, P., to defend
засуши́ться, P., to become dry, stale
зате́м, then, afterwards, subsequently
затёр, затёрла, -о, -и, past of затере́ть, P., to be lost, swallowed up
затра́та, expense
заты́лок, nape, back of the head
захва́ливать, I., to praise highly
захвати́ть: захвачу́, захва́тишь, -ят, P., to catch, to find to get hold of
захва́тывать, I., to seize, grasp (to take one's breath away)
захло́пнуть, P., to shut quickly (with a bang)
захло́пнуться, P., to shut with a bang, to slam
захло́пывать, I., to slam
захмеле́вший, -ая, -ее, -ие, tipsy, drunk
захмеле́ть, P., to become tipsy
захоте́ть, P., to want, wish
заче́м, why, what for
зачёсан, -а, -о, -ы, combed
защища́ть, I., to defend
заяви́ться: заявлю́сь, -ишься, -ятся, заяви́сь, (imper.), P., to appear, present oneself
заявле́ние, deposition, statement
заявля́ть, I., to declare
зва́ние, name, quality, rank, calling, profession
звать: зову́, зовёшь, зову́т, I., to call, to name
звездочёт, astrologer, stargazer
звёздочка, dim. of звезда́, star (decoration)
звони́ть: звоню́, звони́шь, -я́т, I., to ring, call up

звоно́к, ringing, ring
звук, sound
зде́шний, -яя, -ее, -ие, adj., local, from here, of this place
здоро́ваться: здоро́ваюсь, -аешься, -аются, I., to greet
здоро́вье, health
   на здоро́вье, to (your) health
здо́рово, well done
здоро́вый, -ая, -ое, -ые, adj., healthy, sound
здра́вие, health
здра́вствуйте, how do you do, how are you
земледе́лие, agriculture
земля́, land, earth
зима́, winter
зли́ться: злюсь, зли́шься, -ятся, I., to be angry
злой, зла́я, зло́е, злы́е; зол, зла, зло, злы, adj., angry
знак, sign
знако́мый, -ая, -ое, -ые, adj., familiar, acquaintance
знамени́тый, -ая, -ое, -ые, adj., famous
зна́ние, knowledge
знать: зна́ю, зна́ешь, -ют, I., to know
зна́чит, it means
значи́тельно, significantly, considerably
значо́к, badge
зови́-те, imper. of звать
зову́т, see: звать
зову́щий, -ая, -ее, -ие, calling, summoning
зо́нтик, umbrella
зре́ние, sight
зри́тель (m.), spectator
зря, for nothing, to no avail
зуб, tooth

И

и, and, too, even
   и ещё, and then
игра́ть, I., to play
идёт, see: идти́
иде́я, idea, notion

иди́, иди́те, imper.: идти́, итти́: иду́, идёшь, иду́т; шёл, шла, шли, p. I., to go
из, of, from
   и́з-за, because, from, from behind
   и́з-под, from under
изба́ловаться, P., to get spoiled
и́збранник, и́збранница, a person chosen, life mate
изва́яние, statue, sculpture
изве́стие, news, information
изве́стно, (it is) known, of course
изве́стность (f.), celebrity, popularity
изве́стный, -ая, -ое, -ые, adj., well known, famous
извини́те, imper. excuse me
извиня́юсь, I beg (your) pardon
извиня́ться, I., to excuse
изво́лить, P., to deign, to be pleased
   изво́ль-те (imper.), please
и́згородь (f.), fence
изда́ние, edition, publication
издева́тельство, mockery
изде́лие, work, product, handiwork, production
измени́ть, P., to betray, abandon
изменя́ться, I., to change
изна́нка, wrong side
   на изна́нку, inside out
изобража́ть, I., to depict, present
изрёк, изрекла́, изрекли́, past of изречь P., изрека́ть, I., to pronounce, to speak
изумле́ние, amazement, surprise
изумлённый, -ая, -ое, -ые, astonished, surprised
изъясня́ться, I., to explain oneself, to declare
и́ли, or
   и́ли уж, or else
Илю́ша, dim.: Илья́, Elijah
им, see: они́
и́ми, see: они́
и́менно, precisely, just that, particularly, just so
   вот и́менно, that's it
име́ть, име́й-те, imper.: I., име́ю, име́ешь, -ют, to have
и́мя, name
и́мя-о́тчество, name and patronymic

ина́че, otherwise
И́ндия, India
индивидуа́льность (f.), individuality
иногда́, sometimes, occasionally
ино́й, -а́я, -о́е, -ы́е, adj., other, another
институ́т, institute
интеллиге́нция, intellectuals
интере́с, interest
  интере́сно, (it is) interesting
интере́сный, -ая, -ое, -ые, interesting
интересова́ть-ся: интересу́ю-сь, интересу́ешь-ся, -уют-ся, I., to be interested, to interest
иро́ния, irony
искаже́ние, distortion
иска́ть: ищу́, и́щешь, и́щут, I., to search, look for
исключи́тельный, -ая, -ое, -ые, adj., unusual, extraordinary, exceptional
иску́сство, art
испо́лниться, P., to be fulfilled, to be executed
испо́ртить: испо́рчу, испо́ртишь, -ят, P., to spoil
испра́вить: испра́влю, испра́вишь, -ят, P., to correct
исправля́ть, I., to correct
испу́ганно, frightened
испу́ганный, -ая, -ое, -ые, frightened
испуга́ть, P., to frighten
испуга́ться, P., to be frightened
иссле́довательский, adj., research, investigating
и́стина, truth
и́стинный, -ая, -ое, -ые, adj., true, real
истори́ческий, -ая, -ое, -ые, adj., historic-al
исчеза́ть, I., исче́знуть: исче́зну, исче́знешь, -ут, P., to disappear
ито́г, total, balance
  подвести́ ито́г, to balance, to reckon up (the account)
их, their, theirs
  их, see: они́
ишь, вишь (ви́дишь), see; you see; look at
и́щет, 3rd p. pres. of иска́ть, I., to search, look for
ищи́-те, imper. of иска́ть
и́щущий, -ая, -ее, -ие, searching

К

к, ко, to, towards, in the direction of
ка, added to the imperative to make it more pressing
  слу́шай-ка, please listen
  дава́й-ка, let's have it; let's do it
кабине́т, study, office
каго́р, red wine
ка́дры, (pl.), the collective of the employees in a колхо́з
ка́ждый, -ая, -ое, -ые, adj., each, each one, everyone
ка́жется, it seems
как, how, as, like, when, what
  как-бу́дто, as if, it seems
  как же, but how, how so, what do you mean, of course
  как ни, no matter how, however
  как-нибу́дь, somehow, anyhow, somehow or other
  как-ника́к, no matter how (what)
  ка́к-то, one day, once, somehow
каково́, how, how about it; what a
како́й, -а́я, -о́е, -и́е, adj., such a, which, what kind, what a
  како́й-то, certain, some sort of
ка́мера, department, compartment
  ка́мера нахо́док, lost and found department
ка́мешек (dim.) of ка́мень (m.), stone, rock, pebble
камы́ш, reed
кани́кулы (f. pl.), vacation
канцеля́рия, office
  канцеля́рский, adj., office
ка́пля, drop
капита́льный, -ая, -ое, -ые, adj., main wall adjoining the building
капри́з, whim, fancy
каранда́ш, pencil
карма́н, pocket
ка́рточка, dim. of ка́рта, picture
карто́шка, potato(es)
каса́ться, I., to concern, to touch

ка́сса, cashier's window (office)
касси́р, cashier
категори́чески, categorically
кати́ться: качу́сь, ка́тишься, -ятся, I., to roll, to flow
ка́федра, chair (academic), podium, faculty
ка́ша, gruel, mush
ка́шель (m.), gen. s. ка́шля, cough
кашляну́ть, P., ка́шля́ть, I., to cough
кварти́ра, apartment
квас, non-alcoholic beverage
кем, see: кто
ке́пи, cap
кивну́ть, P., to nod
киломе́тр, kilometer
кино́, cinema
ки́нофа́брика, movies, plant, studio
ки́нуться, P., to rush, to dash
кио́ск, kiosk
кит, whale
китобо́йный, whaling
кладёт, 3rd p.s.: класть: кладу́, кладёшь, -ут, I., to put down
класс, class
кла́ссика, classical work, first rate
класть, I., to put
клеёнка, oilcloth
клуб, club
ключ, key
  запира́ть на ключ, to lock
кляну́сь, 1st p. pres. of кля́сться: кляну́сь, клянёшься, -утся, p.: кля́лся, клясла́сь, кляли́сь, I., to swear
кни́га, dim.: кни́жечка, book
  записна́я кни́жка, notebook
кова́рный, -ая, -ое, -ые, adj., treacherous
когда́, when
  когда́-то, once upon a time
  когда́-нибу́дь, sometime or other
кого́, see: кто
ко́е-что, something or other
  кой, ко́я, ко́е, ко́и, adj., which, that, what, who
  ни в ко́ем слу́чае, in no case, under no circumstances

козя́вка, a little bug
колеба́ние, hesitation
коле́но, knee
  па́дать на коле́ни, to kneel
Ко́лин, Ко́лина, Kolya's
коли́те, imper. of коло́ть: колю́, ко́лешь, -ют, I., to slit, split, slay, kill
колле́кция, collection
колхо́з, коллекти́вное хозя́йство, collective farm
колхо́зник, a farmer
  колхо́зный, -ая, -ое, -ые, belonging to a collective farm
Коль, Ко́ля, Ко́лька, dim. Николай, Nicholas
ком, lump
ком, о ком, see: кто
командиро́вка, assignment, special trip
комите́т, committee
ко́мкать, I., to crumple
коммерса́нт, business man
коммуни́зм, communism
комплиме́нт, compliment
компози́ция, composition
компромети́ровать: компромети́рую, -ешь, -ют, I., to discredit, compromise
комсомо́лка, комсомо́лец, communist youth
комсо́рг: комсомо́льский организа́тор, leader of a communist youth group
кому́, see: кто
конди́терский, -ая, -ое, -ие, adj., confectionary
конёк, gen. s. конька́, hobby (horse)
коне́ц, gen. s. конца́, end
коне́чно, of course
ко́нкурс, contest, competition
консульта́нт, consultant, adviser
конфере́нция, conference
конча́ть, I., to end, finish, to complete
ко́нчить, P., to end
конфли́кт, conflict
копа́ться, I., to putter about, dig
кора́бль (m.), boat, vessel

кормить: кормлю́, ко́рмишь, -ят, I., to feed, nourish
коро́бка, dim.: коро́бочка, box, packet
коро́ткий, -ая, -ое, -ие, short
коро́че говоря́, in short, briefly, in a few words
корреспонде́нт, correspondent
коры́сть (f.), self-interest, profit, greed
коси́чка, dim. of коса́, braid (of hair), pig-tail
косну́ться: косну́сь, коснёшься, -утся; p.: косну́лся, косну́лась, P., to touch, touch upon, to concern
косо́й, -ая, -ое, -ые, adj., slanting, squinting, oblique
 косы́е взгля́ды, to look askance, to scowl
костю́мчик, dim. of костю́м, suit
косы́нка, kerchief
котле́та, cutlet
кото́рый, -а́я, -о́е, -ы́е, adj., which, that, who
котте́дж, cottage
кошма́р, nightmare
кра́жа, theft
кра́йний, -яя, ее, ие, adj., extreme
кра́йность (f.), extremity
краса́вица, beauty
краси́вый, -ая, -ое, -ые, adj., handsome
кра́ска, paint, color
Кра́сногварде́йский, Red Army man
кра́сный, -ая, -ое, -ые, adj., red
кра́тко, briefly
кре́пкий, -ая, -ое, -ие, adj., strong, firm
кре́пко, firmly, strongly
кресло, armchair
крести́ны, christening, baptising
крестья́нин, pl. крестья́не, peasant
 по-крестья́нски, as (like) a peasant
крича́ть: кричу́, кричи́шь, -ат, I., to shout
кро́вный, -ая, -ое, -ые, adj., one's own blood
кро́вь (f.), blood
кро́ме, but, except
 кро́ме того́, besides
кро́на, krone (coin)
круго́м, around, all around
кру́жево, lace
кру́жка, mug
кру́пный, -ая, -ое, -ые, adj., large, large scale, considerable, important
кру́то, abruptly, sternly, harshly
кры́шка, lid, cover, top
кста́ти, by the way, opportunely, in good time, to the purpose
кто, кого́, кому́, кого́, с кем, о ком, who
 кто-то, someone
 кто-нибу́дь, anyone, someone
 ещё кто-нибу́дь, anyone else, someone else
куда́, where (to)
кудря́во, flowery, pompously
ку́зов, body of a vehicle; container
ку́кла, doll
кула́к, fist
кулебя́ка, meat or fish pie
кули́са, pl. кули́сы, behind the scenes
ку́льтотде́л: культу́рно-просвети́тельный отде́л, Cultural Educational Department
купи́ть: куплю́, ку́пишь, ку́пят, P., покупа́ть, I., to buy
кури́ть: курю́, ку́ришь, -ят, I., to smoke
курс, course
курца́, gen. of куре́ц, (colloquial), smoker
куст, shrub, bush
ку́хня, kitchen
ку́ча, pile, heap

Л

лаборато́рия, laboratory
ла́дно, very well, o.k.
ладо́нь (f.), palm of the hand
ларёк, gen.: ларька́, dim. of ларь (m.), small (market) stall
ласка́ться, I., to caress, to wheedle, to fondle

ла́сковый, -ая, -ое, -ые, adj., gentle, caressing
лгать: лгу, лжёшь, лгут, to lie, deceive
ле́бедь (m.), swan
леге́нда, legend, story
легко́, easy, easily
легково́й, passenger (car)
легкомы́сленный, -ая, -ое, -ые, lightminded, thoughtless
ле́гче, compar. of лёгкий, easy, light
лезть: ле́зу, ле́зешь, -ут, I., to climb, poke, interfere, get in
ле́йка, watering can
лейтена́нт, lieutenant
ле́ктор, lecturer
ле́кция, lecture
Ле́ночка, Ле́на, Лено́к, dim. of Еле́на, Helen
Лёня, dim. of Леони́д, Leonidas
Ле́ра, Ле́рочка dim. of Вале́рия, Valery
лет, gen. pl. of лета́, years
  с ма́лых лет, since childhood
лета́ть, I., to fly
лете́ть: лечу́, лети́шь, -ят, I., to fly
ле́тний, -яя, -ее, -ие, summer, summery
ле́то, summer
лету́чка, circular, pamphlet
лжец, liar
ле́ший, wood demon
  ле́ший зна́ет, the devil knows
ли, particle used in questions
Ли́за, dim of Елизаве́та, Elizabeth
ли́ра, lira (coin)
ли́рика, lyrics
лист, sheet (of paper), leaf
лихо́й, -ая, -ое, -ие, adj., evil, clever, bold
  ли́хо, cleverly, smartly
лицо́, face, person
  посторо́ннее лицо́, stranger, outsider
ли́чно, personally
ли́чность (f.), identity, person
ли́чный, -ая, -ое, -ые, adj., personal
лишён-ный, -ная, -ное, -ные, devoid, deprived
ли́шний, -яя, -ее, -ие, not wanted, superfluous
лишь, only, merely
лоб, лба, лбу, лоб, лбом, на лбу, forehead
лови́ть: ловлю́, ло́вишь, -ят, I., to catch
ло́гика, logic
лоша́дка, dim. of ло́шадь (f.), horse
лука́вить: лука́влю, лука́вишь, -ят, I., to act cunningly, to feign
лучеза́рный, -ая, -ое, -ые, adj., luminous, radiant
лу́чше, better; compar. of хоро́ший, good
лу́чший, -ая, -ее, -ие, adj., best
любе́зный, -ая, -ое, -ые, adj., polite, kind
люби́мый, -ая, -ое, -ые, favorite, beloved
люби́ть: люблю́, лю́бишь, -ят, I., to love, like
любова́ться: любу́юсь, любу́ешься, -ются, I., to admire
любо́вь (f.), love
  по любви́, for love
любо́й, -а́я, -о́е, -ы́е, adj., any, whatever, any kind
лю́ди, люде́й, лю́дям, люде́й, людьми́, лю́дях, pl., people

М

макинто́ш, raincoat
мал, мала́, малы́, adj., little, small
мале́йший, -ая, -ее, -ие, the least
ма́ленький, -ая, -ое, -ие, small, little
ма́ло, little, few, but little, not enough
малова́то, skimpy
малоду́шный, -ая, -ое, -ые, adj., chicken-hearted, timid
мальчи́шка, dim. of (derogatory) ма́льчик, little boy
ма́лый, small, little; lad
мам, ма́ма, мама́ша, mammy
ма́ссовый, -ая, -ое, -ые, adj., mass
ма́стер, master

мастерская́, workshop
масти́тый, venerable
масшта́б, scale, measure
матема́тика, mathematics
ма́тери, see: мать
матрёшка, wooden doll (folk craft)
ма́тушка, dim. of мать
мать, ма́тери, ма́тери, мать, ма́терью, ма́тери, mother
маха́ть: машу́, ма́шешь, -ут; also: махА́ю, маха́ешь, -ют, I., to wave
махи́на, anything huge, enormous
махну́ть, P., to wave, hop over
махни́те, imper., go over
ма́чеха, stepmother
Ма́ша, dim. of Мари́я, Mary
Ма́шенька, dim. of Мари́я
маши́на, machine, automobile
легкова́я маши́на, passenger car
грузова́я маши́на, truck
машина́льно, mechanically
машини́ст, (train) engineer
мгнове́ние, instant, moment
мгнове́нно, instantly
меда́ль (f.), medal
ме́дленно, slowly
ме́дленный, -ая, -ое, -ые, adj., slow
ме́дный, -ая, -ое, -ые, brass, copper
ме́жду, among, between
ме́жду про́чим, by the way, among other things
ме́жду тем, meanwhile
ме́ждунаро́дный, -ая, -ое, -ые, international
ме́лкий, -ая, -ое, -ие, small, trivial, small change
ме́лочь (f.), trifle
меня́, see: я
меня́ть, I., to change
ме́рить, I., to measure, try on
ме́рка, yardstick, measuring tape
ме́ра, measure
по кра́йней ме́ре, at least
ме́сто, place, spot, job
месть (f.), revenge
ме́сяц, month
мета́ллоло́м, scrap metal
мечта́ть, I., to daydream
меша́ть, I., помеша́ть, P., to hinder, prevent, bother
ми́лая, (my) dear
ми́лость (f.), grace, favor, kindness
сде́лайте ми́лость, do me the favor
миллио́н, million
мили́ция, militia
милови́дный, -ая, -ое, -ые, adj., comely
ми́лый, -ая, -ое, -ые, adj., nice, graceful, pretty, dear
мину́та, minute
ми́ссия, mission
ми́стика, mystification, mysticism
Ми́тенька, Ми́тя, dim. of Дми́трий, Дими́трий, Demetrius
младе́нец, gen. s. младе́нца, baby
грудно́й младе́нец, infant
мла́дший, -ая, -ее, -ие, junior, younger
мне, see: я
мне́ние, opinion
мно́го, a lot, great deal, much, many
мно́гое, much, many (many things)
мно́гие, many
многочи́сленный, -ая, -ое, -ые, adj., numerous
мной, see: я
мог, могла́, могло́, могли́, past of мочь
могу́, see: мочь
могу́чий, -ая, -ее, -ие, adj., powerful, strong
мо́дный, -ая, -ое, -ые, adj., fashionable
моё, моего́, моему́, моё, мои́м, моём, my, mine
мо́жет, one can, (it is) possible
мо́жет быть, maybe
мо́жет и так, perhaps it is so
мо́жете, see: мочь
мо́жно, one may, it is possible
мой, моего́, моему́, мой/моего́, мои́м, моём; моя́, мое́й, мое́й, мою́, мое́й, мое́й; pl.: мои́, мои́х, мои́м, мои́/мои́х, мои́ми, мои́х, my, mine
по-мо́ему, in my opinion
мол, to be sure, surely; then; really; says he, they say
молниено́сно, with lightning speed
молодёжь (f.), youth, young people
молодожён, newly-married

молодо́й, -ая, -ое, -ые; мо́лод, -а́, -ы́, young
мо́лодость (f.), youth (age)
молодцы́, pl. of молоде́ц, smart fellow
моло́же, compar. of молодо́й
молча́льник, silent person; reserved (person)
молча́ние, silence
молча́ть: молчу́, молчи́шь, молча́т, I., to be silent
мора́льный, -ая, -ое, -ые, adj., moral
моргну́ть, P., to wink, blink
мо́рщиться: мо́рщусь, мо́рщишься, -атся, I., to frown; wrinkle
моря́к, seaman
мото́р, motor
мочь: могу́, мо́жешь, мо́жет, мо́жем, мо́жете, мо́гут, past: мог, -ла́, -ло́, -ли́, I., to be able (to)
мо́щный, -ая, -ое, -ые, adj., powerful
мох, moss
мра́чный, -ая, -ое, -ые, sombre, gloomy
муж, pl.: мужья́, husband, man
му́жественный, -ая, -ое, -ые, courageous, bold
мужи́к, peasant
мужчи́на, man
мужья́, see: муж
музе́й, museum
му́зыка, music
му́ки, pl. of му́ка, torment, suffering
муска́т, muscatel
му́читься: му́чаюсь, -ешься; also: му́чусь, -ишься, I., to suffer, be tormented
мы, нас, нам, нас, на́ми, нас, we
мы́сленно, mentally, in thought
мы́слить: мы́слю, -ишь, -ят, I., to reason, think
мысль (f.), thought
мыть: мо́ю, мо́ешь, мо́ют, I., to wash
мя́гкий, -ая, -ое, -ие, soft
мя́гко, adv., softly, tenderly, gently

Н

на, on, upon, at, onto, for
набива́ть тру́бку, to fill (stuff) (one's) pipe
набира́ть, I., to collect, set up
набира́ть но́мер, to dial
наби́ть: набью́, набьёшь, -ют, P. of набива́ть, to drive down
наблюда́ть, I., to watch
набра́ться: наберу́сь, -ёшься, -утся, P., to get, acquire
набро́санный, -ая, -ое, -ые, thrown, tossed; sketched
наброса́ть, P., to outline, sketch
наве́рное, surely
наве́т, slander, calumny
навсегда́, for ever
раз навсегда́, once and for ever
навстре́чу, toward, (going from the opposite direction)
на́глость (f.), insolence, impudence
нагну́ть: нагнёшь; -ут, P., to lower
наговори́ть, P., to say a lot
над, на́до, over, above; at
надева́ть, I., of наде́ть; наде́ну, наде́нешь, -ут; наде́нь-те, (imper.), P., to put on
наде́жда, hope
На́денька, На́дя, dim. of Наде́жда, Hope
наде́яться: наде́юсь, наде́ешься, -ются, I., to hope
на́до, it is necessary, one must
на́до бы, one should
надое́л, -а, -о, -и, past of надое́сть: надое́м, надое́шь, надое́ст, -еди́м, -еди́те, -едя́т, P., of надоеда́ть, to weary, tire; to annoy, pester
надра́ть: надеру́, -ёшь, -ут, P., to pull; to box
надры́в, heartbreak
Надю́ш, dim. of Наде́жда, Hope
назва́нье, name, title
назва́ть: назову́, назовёшь, -у́т, P., to call, name
называ́ть, I., to call, to name
называ́ться, I., to be named
наи́вно, naively
наивы́сший, -ая, -ее, -ие, the best (quality) the highest

найдётся, 3rd p.s. fut.: найти́сь, P., to be found, to find (to be)
найди́-те, imper. of найти
найти́: найду́, найдёшь, -ут; нашёл, нашла́, нашли́, P., to find
нака́пать, P., of ка́пать, to pour, to drip, to dribble (pour drop by drop)
наконе́ц, at last, finally
накрыва́ть, I., to cover; накрыва́ть на стол, to set the table
накры́тый, -ая, -ое, -ые, covered
налива́ть, I., to pour
нам, see: мы
намекну́ть, P. of намекать, to hint
намёком, hinting
наме́тить: наме́чу, наме́тишь, -ят, P., to have in view, to aim, to mark
наме́тка, aim, mark
наперере́з, (to move) across, cutting off
напока́з, for show, show off
напосле́док, at last, finally, in conclusion
направле́ние, direction
направля́ться, I., напра́виться: напра́влюсь, напра́вишься, -ятся, P., to start off, to go
напра́во, to the right, on the right
напра́сно, in vain, vainly, uselessly
наприме́р, for instance, for example
напро́тив, on the contrary, opposite
напрями́к, straight on, frankly
напуга́ть, P. of пугать, to frighten
напускно́й, -ая, -ое, -ые, adj., feigning, pretending
нараста́ть, I., to grow, to increase
нарасхва́т, grabbing, scrambling
нареза́ть and наре́зывать, I., to cut, slice
наро́д, people
наруше́ние, violation, infringement, breaking
наря́дный, -ая, -ое, -ые, adj., festive, fine; well dressed
нас see: мы
наскво́зь, adv., through and through
наско́лько, adv.; as much as, in so far as
наслажде́ние, pleasure, delight
наста́ть, P., to approach, to come
насторо́женно, alertly; on guard
насторожи́ться: насторожу́сь, P., to be on the alert, to be on guard; to prick up one's ears
настоя́тельный, -ая, -ое, -ые, adj., urgent, pressing, insistent
настоя́щий, -ая, -ее, -ие, real, true
по-настоя́щему, real, in reality
настро́ен-а, -о, -ы, in a (good or bad) mood
настрое́ние, mood, disposition
настро́ить, P., to incite, urge, to instigate; to dispose; to build
насчёт, concerning
как насчёт, what about
ната́лкиваться, I., to bump into
Ната́ша, dim. of Ната́лья, Natalie
наторгова́ть: наторгу́ю, -ешь, -ют, P., to trade, to sell
наткну́ться, P., натыка́ться, I., to knock against, to strike, to hit
нау́чный, -ая, -ое, -ые, scholarly, scientific
находи́ть, I., to find
находи́ться, I., to be found
нахо́дка, find
нацеди́ть: нацежу́, наце́дишь, -ят, P., to fill, pour out
нача́ло, principle, beginning
нача́льник, chief, head
нача́льство, authorities
нача́ть, -(ся); начну́, -ёшь, P. of начина́ть, I., to begin, to start
начита́ться, P., to read too much
наш, на́ша, на́ше, на́ши, our, ours
нашла́, past: найти́
не, not, no
небольшо́й, small
небо́сь, adv., surely, don't fear
небре́жно, carelessly, indifferently
неве́рно, wrong, not true
неве́ста, fiancée, bride
невиди́мка, an invisible thing or person
неви́димый, unseen
невозмо́жно, (it is) impossible
нево́лить, I., to force, to coerce
нево́льно, involuntarily

невыплатно́й, not (non-) paying
него́, see: он
негра́мотный, -ая, -ое, -ые, adj., illiterate
неда́вно, recently
недове́рчивый, -ая, -ое, -ые, adj., doubting, not trusting
недово́лен, недово́льна, -ы, displeased, dissatisfied
недово́льный, -ая, -ое, -ые, displeased, dissatisfied
недо́лго, not long, soon
недоразуме́ние, misunderstanding
недорого́й, not expensive
недоуме́ние, perplexity
неду́рно, not bad, pretty good
неё, see: она́
нежела́тельно, undesirable
незабве́нный, -ая, -ое, -ые, unforgetable
незаме́тно, imperceptibly
незапа́мятный, -ая, -ое, -ые, immemorial
ней, see: она́
неизве́стно, unknown
не́когда, no time; once upon a time
  мне не́когда, I have no time
не́который, -ая, -ое, -ые, adj., certain, some
не́куда, nowhere, anywhere
нелегко́, not easy
неле́пый, -ая, -ое, -ые, adj., stupid
нело́вко, awkwardly
нельзя́, impossible, not allowed
нём, see: он
неме́дленно, immediately, right away
немно́го, dim.: немно́жко, a little, a wee bit
нему́, see: он
немы́слимо, unthinkable
немы́слимый, -ая, -ое, -ые, adj., unthinkable
ненави́деть: ненави́жу, -ви́дишь -ят, I., to hate
нену́жный, -ая, -ое, -ые, adj., unnecessary, not wanted, useless
необходи́мо, necessary
необяза́тельный, -ая, -ое, -ые, adj., not obligatory, unnecessary
необяза́тельно, unnecessary
неожи́данно, unexpectedly
неожи́данный, unexpected
неостроу́мно, dull, not witty
непло́хо; не пло́хо, not bad-ly
неплохо́й, pretty good
неподви́жность (f.), immobility
непостоя́нный, -ая, -ое, -ые, adj., transient, unstable, unsteady
непра́в, -а́, -о, -ы, wrong
непра́вда, untruth, lie, wrong
непредви́денный, unforeseen
непреме́нно, without fail, certainly, by all means
неприёмный, non-receiving
  приёмный день, reception day
непринуждённый, -ая, -ое, -ые, easy-going, not forced, unconstrained
не́рвный, nervous
неря́ха, a slovenly person (sloppy)
неси́-те, imper. of нести
нескла́дно, awkward-ly
не́сколько, some, several, few; somewhat
нескро́мно, immodest-ly
неслы́ханный, unheard of
несоверше́ннолетний, -яя, -ие, minor
несправедли́во, unjustly
неспроста́, for a good reason, to have something up one's sleeve
нести́: несу́, несёшь, несу́т, I., to carry, bring
несуще́ственный, -ая, -ое, -ые, non-essential, unimportant
несча́стный, -ая, -ое, -ые, unlucky, unhappy, unfortunate
несча́стье, misfortune, bad luck
нет, no, there is not, no
  нет уж, why no, nothing doing
  нет-нет, now and then
не́ту, не́тути, (folk) there isn't; no
неуве́ренно, uncertainly
неуда́чно, unsuccessfully
неуже́ли, is it possible, can it be
не́ужто, is it possible
не́чего, it's no use, it's useless; nothing
не́чему, nothing

ни -ни, neither nor, either or, not at all
ника́к, apparently, it seems, by no means, in no way
ника́к не, by any chance
никако́й, -ая, -ое, -ие, not any, not any kind
никогда́, never
никого́, see: никто́
никому́, see: никто́
никоти́н, nicotine
никто́: никого́, никому́, никого́, ни с кем, ни о ком, no one, not any one, none
ни́ми, see: они́
них, see: они́
ничего́, nothing, that's all right, never mind; anything
ну, ничего́, well, never mind, don't worry; all right
но, but
нова́тор, innovator
нова́торский, adj., innovator's
но́вость (f.), news
но́вый, -ая, -ое, -ые, new
нога́, dim. pl.: но́жки, foot, leg
на нога́х, to be up
но́мер, number
нос, nose
носи́ть: ношу́, но́сишь, -ят, I., to wear; carry
носи́ться: ношу́сь, -ишься, -ятся, I., to rush about
ночно́й, adj., night
ночь (f.), night
нра́виться: нра́влюсь, нра́вишься, -ятся, I., to like, to please
ну, well
ну вот, well now
ну-ка, well, now . . .
ну, зна́чит, well then
ну и . . ., well, what a . . .
нужда́, need, want, poverty
нужда́ться: нужда́юсь, -ешься, -ются, I., to be in need
ну́жен, нужна́, ну́жно, нужны́, necessary, needed
ну́жный, -ая, -ое, -ые, necessary
ны́нешний, -яя, -ее, -ие, present (day)
ны́нче, at present, nowadays, now
ню́хать, I., to smell, to sniff

O

о, об, about, concerning
о́ба: обо́их, обо́им, о́ба, обо́их, обо́ими, обо́их; о́бе: обе́их, (f.), both
обвари́ть: обварю́, обва́ришь, -ят, P., to scald
обе́д, dinner
обе́дать, I., to dine
обе́денный, dining
обе́денный стол, dining-table
оберну́ться, P., to turn out; around
дела́ оберну́лись изна́нкой, (your) affairs have turned inside out (poorly)
обеща́ние, promise
обеща́ть, I., to promise
обжига́ться, I., to get scalded, scorched; to be burned
оби́да, hurt, offence, harm
оби́дно, insulting, (it hurts)
обижа́ться, I., to be offended, to be hurt
оби́женно, offended
о́бласть (f.), region, realm, province
облегче́ние, relief
облива́ть, I., to pour over
обличи́тель (m.), critic, accuser
обма́тывать, I., to wrap, to wind
обнима́ть, I., to embrace
обня́ть; обниму́, обни́мешь, -ут, P., to embrace, hug
обобща́ть, I., to generalize
обожа́емый, -ая, -ое, -ые, admired, adored, darling
обожествля́ть, I., to deify
обора́чиваться, I., to turn, turn out, to look around
о́браз, image, manner
образе́ц, pl.: образцы́, sample, model
образова́ние, education, training
образцо́вый, -ая, -ое, -ые, adj., exemplary
обрати́ться: обращу́сь, обрати́шься, -ятся, P., to turn; to address; to apply
обра́тно, back; return

обрáтный, -ая, -ое, -ые, reverse, return
обращáть, I., to turn; обращáть внимáние, to pay attention
обрёл, обрелá, обрели́, past of
обрести́: обретý, обретёшь, P. of обретáть, приобретáть, to gain, acquire, win
обрывáть, I., to break off
обстáвленный, -ая, -ое, -ые, furnished, supplied
обстоя́тельство, circumstance
обсуждéние, discussion
обýза, burden, trouble
обходи́ть, I., to go around
общесоюзный, adj., all-union
общéственность (f.), general public; social consciousness
óбщий, general
в óбщем, in general
объединённый, -ая, -ое, -ые, unified, united
объёмистый, large, thick, good-sized, spacious
объявлéние, advertisement, announcement
объявля́ться, I., объяви́ться, P., to appear, show up; advertise
объясни́ть, P., to explain
обя́зан, -а, -о, -ы, obliged, obligated; must, have to
обя́занность (f.), duty, obligation
обязáтельно, surely, certainly; without fail, necessarily
овáльный, -ая, -ое, -ые, oval
овладéние, seizure, taking possession
овладéть собóй, P., to control oneself
оглядéться, P., to look oneself over
огля́дывать, I., to look over
огля́дываться, I., to look around
оглянýться, P., to turn around, look around
огó, oho
огóлец, street urchin
огóнь, nom. pl. огни́, fire, light
dim.: огонёк, light, fire
огорчáться, I., to grieve, to be distressed
ограни́ченный, -ая, -ое, -ые, limited
огрóмный, -ая, -ое, -ые, enormous, huge
одарённый, -ая, -ое, -ые, gifted, talented
одéт, -а, -о, -ы; одéтый, одéтая, одéтые, dressed, clad
оди́н, однá, однó, одни́, one; alone
одинóчка, alone, single
в одинóчку, singly
однáко, however
одни́х, ones; see: оди́н
одноврéменно, simultaneously
одноэтáжный, -ая, -ое, -ые, one-storied, of one story
одобрéние, approval, praise
одолжéние, favor
оживля́ться, I., to become (get) lively, to liven up, to be animated
ожидáть, I., to expect
озабóченно, preoccupied
озабóченный, -ая, -ое, -ые, worried, preoccupied, troubled
озадáченный, -ая, -ое, -ые, disconcerted
озирáться, I., to look around
ознакóмиться: ознакóмлюсь, -ишься, -ятся, P., to get acquainted, to familiarize oneself
означáть, I., to mean
озорни́к, prankster
ой, oh, ah: exclamation of surprise
ой-ли, is that so
оказáться, P., to appear
окáзия, strange goings on; event
окáзывается, it turns out, it means
окаменéть, P., to be petrified
оки́нуть, P., to cast around
оки́нуть взгля́дом, to glance rapidly around
оклéенный, -ая, -ое, -ые, glued, pasted, covered
околдовáть: околдýю, околдýешь, -ют, P., to cast a spell, to bewitch
óколо, near, nearby, nearly
окончáтельно, at last, finally, ultimately, positively
окóнчить, P., to finish, end
окостенéть, P., to become ossified

окóшко, dim. of окнó, window
октя́брь (m.), October
окупáться, I., to reimburse, receive profits
окýтывать, I., to wrap up, to surround
он: егó, емý, егó, с ним, о нём, he
онá: её, ей, её, ей, с ней, о ней, she
они́: их, им, их, с ни́мн, о них, they
опáска, uneasiness, apprehension, fear
опéшить, P., to be stunned, dumbfounded
опоздáть, P. of опáздывать, to be late
опóмнись, опóмнитесь, imper. of опóмниться, P., to come to one's senses
опóрный, supporting
оправдáть, P., to justify
опрáвдываться, I., to justify oneself, to apologize
определённо, definitely, quite, precisely
определи́ть, P., of определя́ть, to determine, define; to assign, allot
определи́ться, P., to be clarified
опроки́нутый, -ая, -ое, -ые, overturned
опроки́нуть, P., to knock over
опускáть, I., to drop down, to let down, to lower
опускáться, to descend, to drop, to lower oneself
опусти́ть, P. of опускать
óпытный, experienced, experimental
опя́ть, again, once more
организáция, organization
оригинáл, original
оригинáльный, -ая, -ое, -ые, adj., original
освежáющий, -ая, -ее, -ие, refreshing
освободи́ть: освобожý, освободи́шь; -ят, P., to free, release
освободи́ться: освобожýсь, освободи́шься, -ятся, P., to free, to be released
освобождáть, I., to free
óсень (f.), autumn; óсенью, in the Fall
осеня́ть, I., to shelter; to dawn
оскóлок, nom. pl. оскóлки, fragment
оскорби́ть: оскорблю́, оскорби́шь, -ят, P., to offend, insult
осмáтриваться, I., осмотрéться, P., to look about (around)
оснóва, base, basis
осóбенно, particularly
оставáться: остаю́сь, остаёшься, -ются; оставáйся, оставáйтесь, imper., I., to stay, remain
остáвить: остáвлю, остáвишь, -ят, P. of оставля́ть, to leave, give up, abandon; stay
остальнóй, remaining, the rest
останáвливаться, I., to stop
останови́ть, P., to stop
остановка, stop, halting
остáться: остáнусь, остáнешься, -утся; остáлся, остáлась, остáлись, P., to stay, remain
осторóжно, cautiously, carefully, gently
остроýмно, wittily
осуждáть, I., to judge, criticize, blame
от, (óто), from, away from
отбивáть, I., to take by force; fight
отби́ться: отобью́сь, отобьёшься, -ются, P. of отбивáться, to break loose
отбóй, repulse
отбóр, selection
отвезти́: отвезý, отвезёшь, -ут; отвёз, отвезлá, отвезли́, P., to carry away, to take away
отвéт, answer, reply
отвéтственность (f.), responsibility
отвéтственный, -ая, -ое, -ые, responsible
отвечáть, I., to answer, reply
отводи́ть, I., to lead away, draw aside
отводи́ть глазá, to avert the eyes, look the other way
отворáчиваться, I., to turn away

отда́ть: отда́м, отда́шь, отда́ст, отдади́м, отдади́те, отдаду́т, P., to give, to present
отде́л, department
отде́лать, P., to furnish; to touch up; to polish off
отдохну́ть, P. of отдыха́ть, to rest, take a vacation
отдыша́ться: отдышу́сь, -ды́шишься, -атся, P., to get one's breath; to rest (a while)
оте́ц, nom. pl. отцы́, father
отказа́ться: откажу́сь, отка́жсшься, -утся, P., to refuse, reject, deny, negate
отка́зываться, I., to refuse
отки́дывать, I., to thrust aside
откла́дывать, I., to put off, postpone
открове́нно, frankly
открове́нность (f.), frankness
открове́нный, frank
открыва́ть, I., to open, discover
откры́тие, opening, discovery
откры́ть: откро́ю, откро́ешь, -ют, P., to open, reveal, discover
откры́ться, P., to open; confess
отку́да, where, where from; how
отли́чник, a brilliant (excellent) student
отли́чный, excellent
отли́ть: отолью́, отольёшь, -льют, P., to cast, mold
отложи́ть, P., to postpone, put off
отменя́ть, I., to cancel, to change
отне́киваться, I., to say *no*; refuse; deny; negate
относи́ться: отношу́сь, отно́сишься, -ятся, I., to concern, treat, regard, address, refer
отноше́ние, relation, relationship, regard, concern
отню́дь, not at all
отобра́ть: отберу́, отберёшь, -ут, P., to select
  ото́бран, -а, -о, -ы, selected; set aside
отойти́: отойду́, отойдёшь, -ут, imper.: отойди́-те, P., to move away; move aside; to go away
отпере́ть: отопру́, отопрёшь -ут; imper.: отопри́-те, P., о́тпер, отперла́, -и, (past), P., to open
отпра́вить, P., to send off; dispatch
отпра́виться: отпра́влюсь, -ишься, -ятся, P., to set off, to start
отправля́ть, I., to send off, to dispatch
отпуска́ть, I., to release, to let go
отра́ва, poison
отрави́ться: отравлю́сь, отра́вишься, -ятся, P., to poison oneself
отрица́тельно, negatively; critically
отрыва́ть, I., to tear off, away
отска́кивать, I., to jump away
отслужи́ть, P., to serve through
отста́ть: отста́ну, отста́нешь, -ут, P., to lag behind, to miss, to be left out
отстраня́ться, I., to move away
отступи́ться, P., to go back, retreat, take back
отсю́да, from here
оттесня́ть, I., to crowd out; push
оттого́, because
отходи́ть, I., to move away, go off
отходя́щий, departing
отча́яние, despair
о́тчество, patronymic
отшатну́ться, P., to step back
официа́льно, officially, formally
офо́рмить: офо́рмлю, офо́рмишь, -ят, P., to formulate
офомле́ние, declaration, formulation
ох, oh
охо́тник, (hunter), volunteer, the one who is fond of
охо́тно, willingly, with pleasure
оцепене́ть, P., to become petrified
очеви́дно, obviously
о́чень, very, very much
о́чередь, (f.), turn; queue, line
  заня́ть о́чередь, to stand in line
  в о́череди, in line
о́черк, sketch
ошеломля́ющий, overwhelming
ошиба́ться, I., to be mistaken

ошибиться: ошибусь, ошибёшься -утся; ошибся, ошиблась, ошиблись, P., to be mistaken
ошибка, mistake, error
откровение, confession, revelation

П

падать, I., to fall
падчерица, stepdaughter
пай, share
палец, gen. s. пальца, finger
пальто, coat
панический, -ая, -ое, -ие, adj., panic
папа, папаша, daddy
папироса, cigarette
папка, (office) folder, folio
параллельный, adj., parallel
парень, gen. s. парня, lad, chap, fellow
парник, nursery, hotbed
паровоз, engine
парочка, dim. of пара, couple, pair
паспорт, passport
пассажир, passenger
пауза, pause, silence
пачка, pack, packet
паяц, clown
педагог, pedagogue
педагогический, -ая, -ое, -ие, pedagogical
пейте, imper. of пить: пью, пьёшь, пьют, I., to drink
пенка, dim. of пена, foam, scum, froth (preserves)
пенсионный, adj., pension
пенсия, pension
пенсне, (пенснэ), pince-nez
первый, -ая, -ое, -ые, first
  на первых порах, at first, to begin with
перебивать, I., to interrupt
перебирать, I., to sort out, page through
перебросить, P., to throw over (across)
переброшен, -а, -о, -ы, thrown over, moved across
переведём, 1st p. pl.: перевести
перевести: переведу, переведёшь, -ут; перевёл, перевела, -и; imper: переведите, P., to transfer, translate
переводить: перевожу, переводишь, -ят, I., to transfer, translate
  переводить-перевести дыхание, to get one's breath
переговоры, negotiations, conversations
перед, before, in front of
передавать, I., передать, P., to hand over, transmit, present, convey
передний, -яя, -ее, -ие, front
передовой, -ая, -ое, -ые, progressive, advanced
передумать, P., to change one's mind; to think over, ponder
переехать, P., to move
переждать, P., to bide one's time, wait
переживать, I., to experience, live
перекладывать, I., to carry through, over; repack; to replace
перелистывать, I., to page through
перемениться, P., to change
переписываться, I., to correspond
переработка, adjustment, adaptation
пересаживаться, I., to move over, to change seats
пересидеть, P., to outsit, to sit out
переставать: перестаю, -стаёшь, -ют; перестать: перестану, -станешь, -ут, P., to stop, cease
переставлять, I., to move
перестараться, P., to outdo (oneself)
перестройка, reconstruction
пересуды (pl.), gossip
перечислять, I., to enumerate
перо, pen
перрон, platform
перспектива, perspective; prospect
перчатка, glove
песня, song
Петруша, Петя, dim. of Пётр, Peter
петь: пою, поёшь, поют, I., to sing
печалиться, I., to grieve
печально, sad-ly
пешком, adv., on foot

пи́во, beer
пи́во — во́ды, beer and mineral waters
пик, mountain peak
пира́т, pirate
писа́ть-ся, I., to write, depict, draw
писа́лась, was written
пи́сьменный стол, writing desk
письмо́, letter
пита́ть, I., to nourish, foster; feel
пить, I., пью, пёшь, пьюш, to drink
пла́вание, navigation, sailing, swimming, floating
пла́кать: пла́чу, пла́чешь, -ут, I., to cry, weep
план, plan, scale
на пере́днем пла́не, ground layout, in the foreground
планови́к, planner, designer, draftsman
пла́новый, adj., planning
пластили́н, plastic
пласти́нка, disk, record
плато́к, kerchief
Плато́ша, dim. of Плато́н, Plato
пла́тье, dress
пла́чь-те, imper.: пла́кать
плени́ть, P., to captivate, charm
плечо́, pl. пле́чи, shoulder
пло́тно, tightly, closely
пло́хо, bad-ly
плохо́й, -ая, -ое, -ие, bad
пло́щадь (f.), square
плева́ть: плюю, плюёшь, плюют, I., to spit
плева́ться: плюю́сь, плюёшься, -ю́тся, I., to spit
плю́нуть: плю́ну, плю́нешь, -ут, P., плю́нь-те (imper.), to scorn, to spit
плюс, plus; in addition
по, on, along, upon, according to, by, in accordance
по-настоя́щему, really, fully
побе́да, victory, triumph
победи́тель (m.), conqueror
побесе́довать: побесе́дую, -ешь, -ют, P., to have a talk
побы́вка, furlough
побы́ть, P., to stay, remain
поведе́ние, conduct, behavior
повезти́: повезу́, повезёшь, -ут; повёз, повезла́, повезли́, P., to drive, carry, transfer
пове́рить: пове́рю, пове́ришь, -ят, P. of ве́рить, to believe, trust
поверну́ть, P., to turn
поверну́ться, P., to turn about
пове́сить: пове́шу, пове́сишь, -ят; пове́ситься, P., to hang
подвести́: подведу́, подведёшь, -ут; подвёл, подвела́, подвели́, P., to lead; give away, betray
повида́ть, P., to see, visit
повида́ться, P., to meet, visit, see
повлия́ть, P., to influence
повреди́ть: поврежу́, повреди́шь, -ят, P., вреди́ть, to harm, hurt
повсю́ду, everywhere
повторя́ться, I., повтори́ться, P., to be repeated; repeat
повыша́ть, I., to raise, promote
погаси́ть: погашу́, погаси́шь, -ят, P., to extinguish
погляде́ть, P., to have a look, see
поговори́ть, P., to have a talk
погово́рка, saying
погоди́-те; подожди́-те, imper. of подожда́ть: подожду́, подождёшь, -ут, P., to wait
погоди́те-ка, imper., wait a bit
погружа́ться, I., to be engrossed
под, under
подава́ть: пода́ю, подаёшь, -ют, I., to give, present, serve, hand over
пода́ть: пода́м, пода́шь, пода́ст, подади́м, подади́те, подаду́т, P., to give, present, serve
пода́вленный, -ая, -ое, -ые, crushed
пода́рочек, dim. of пода́рок, gen. s. пода́рка, gift, present
подбавля́ть, I., to add
подбега́ть, I., to run up to
подбро́сить: подбро́шу, -бро́сишь, -ят, P., to toss, throw off; to let one down; to give a lift
подвезти́: подвезу́, подвезёшь, -ут; подвёз, подвезла́, подвезли́, P., to give a ride, to give a lift

подвига́ться, I., to move closer
подводи́ть: подвожу́, подво́дишь, -ят, I., to sum up; lead up to
подво́дится итóг, a balance of the account is made
подвози́ть, I., подвезти́, P., to give a ride
подгото́влен, -а, -о, -ы, prepared
поддержа́ть: поддержу́, -де́ржишь, -ат, P., to support
поде́лать, P., to do, make
подде́рживать, I., to support
поди́-те; пойди́-те, imper. of пойти́, P., to go
поднима́й-те, imper. of поднима́ть, I., to raise, hoist, elevate
поднима́ться, I., to ascend, rise
подо́бный, -ая, -ое, -ые, adj., like, such like, similar
ничего́ подо́бного, nothing like this (it)
пододвига́ть, I., to move closer
подожди́те, imper. of подожда́ть, P., to wait, await
подойти́: подойду́, подойдёшь, -ут; подошёл, подошла́, подошли́, P., to approach, come near
подоспе́ть, P., to come; arrive in time
подошла́, past of подойти́, P., to come up, approach
подража́ние, imitation, copying
подража́тельно, imitating, not original
подража́ть, to copy
подро́сток, adolescent
подру́жка, dim. of подру́га, (girl) friend, chum, playmate
подска́зывать, I., to suggest, prompt
подтвержда́ть, I., to confirm
подтя́нутый, -ая, -ое, -ые, drawn, reserved
поду́мать, P. of думать, to think
подхали́мство, servility, hypocrisy
подходи́ть: подхожу́, подхо́дишь, -ят; подходи́л, подходи́ла, подходя́: (gerund), I., to approach, come up
подходя́щий, -ая, -ее, -ие, acceptable, suitable
подъезжа́ющий, -ая, -ее, -ие, arriving, coming
подыми́ть, P., to smoke
по́езд, train
пое́здка, trip
поезжа́йте, imper. of -езжа́ть: е́здить, to ride, go
пое́хать, P. of е́хать, to go, ride
пожале́ть, P., пожале́й-те, imper., to take pity, to be sorry
пожа́луйста, please
пожа́луюсь, last p. fut., пожа́ловаться, P. of жа́ловаться: жа́луюсь, -ешься, -ются, to complain
пожа́ть, P., to squeeze
пожа́ть плеча́ми, to shrug one's shoulders
пожелте́вший, -ая, -ее, -ие, yellowed
пожени́ться, P. of жени́ться, to get (be) married
пожило́й, -а́я, -о́е, -ы́е, middle-aged
пожима́ть, I., to press, squeeze
пожури́ть: пожурю́, пожури́шь, -ят, P., to scold
позабы́ть, P., to forget
позво́ль-те, imper.: do tell me, please
позво́лить: позво́лю, -ишь, -ят, P., to allow, permit
позвони́ть, P. of звони́ть, to ring, call up
поздра́вить: поздра́влю, поздра́вишь, -ят, Pf. of поздравля́ть, to congratulate
позови́-те, imper. of позва́ть, P. звать: зову́, зовёшь, зову́т, to call
позо́р, disgrace
пой-те, imper. of петь: пою́, поёшь, -ют, to sing
пойди́-те, imper. of пойти́
пойми́-те, imper. of поня́ть
пойти́: пойду́, пойдёшь, пойду́т; пошёл, пошла́, пошли́, P., to go
поиска́ть, P. of иска́ть: ищу́, и́щешь, -ут, to search, look for
по́иски, search
пока́, while, meanwhile, until, yet
пока́ что, for a while

показа́ть: покажу́, пока́жешь, -ут, P., to show
показа́ться, P., to appear; seem
покати́ться; покачу́сь, P., to roll
пока́чиваться: пока́чиваюсь, I., to swing, rock, sway
покачну́ться, P., to sway, stagger
покли́кать, P. of кли́кать: кли́чу, кли́чешь, кли́чут, to call
поклони́ться, P., to bow; greet
поко́й, peace, rest
покро́й, cut, style
поку́да, as yet, in so far, until
покупа́тель (m.), purchaser, customer
покупа́ть, I., to buy
покуша́ться, I., to make an attempt, to have a design
пол, полови́на, half
пол, floor
пол, sex
полага́ть, I., to suppose, assume
полага́ться, I., to rely, reckon, deem; suppose
не полага́ется, it is not customary, one is not supposed to
по́ле, field
поле́зный, -ая, ое, ые, useful
полкиломе́тра, half a kilometer
по́лностью, in full, totally, entirely
полови́на, a half
положе́ние, situation, position, work, standing
поло́жим, let's suppose
полага́ть; положи́ть, to place, put; suppose, assume
положи́ть, P., to put
полоте́нце, gen. pl. полоте́нец, towel
полсо́тни, fifty
полтора́, one and a half
полуто́н, shading, semitone
получа́ется, the result is, it comes out
получа́ть, I., to receive
получа́ется не то, it looks different, it's not the same thing
получи́ться, P., to result, to receive
полу́чится, (will) come out, the result will be
получи́лось, it turned out
полу́чше, a bit better
полчаса́, half an hour
полы́нь (f.), wormwood
полы́нный, -ая, -ое, -ые, adj., wormwood
полюби́ть: полюблю́, полю́бишь, -ят, P., of люби́ть, to love, like
полюбова́ться: полюбу́юсь, полюбу́ешься, -ются; полюбу́йся; полюбу́йтесь, imper., P., of любова́ться, to admire, look with admiration
по́льза, benefit, advantage
одна́ по́льза, the only advantage
по́льзоваться: по́льзуюсь, по́льзуешься, по́льзуются, I., to make use, to use; to enjoy
пома́лкивать, пома́лчивать, I., to remain silent, keep silent
помане́жить, P. of мане́жить, to train, subdue, tire one out
поме́льче, a little smaller
помеша́ть, P., to hinder, prevent
помеще́ние, premises, room
поми́н, remembrance
по́мнить: по́мню, по́мнишь, -ят, I., to remember, recall
помога́ть, I., to help
помоло́же, a bit younger
помолча́ть: помолчу́, помолчи́шь, -ат, P., to keep silent
помо́рщиться: помо́рщусь, -мо́рщишься, -атся, P., to wrinkle, frown, make a wry face
помо́щник, помо́щница, help, helper, assistant
по́мощь (f.), help, aid
помы́ть: помо́ю, -мо́ешь, -ют, P., to wash
пони́кший, -ая, -ее, -ие, drooping
понима́ть, I., to understand
понра́виться, P., to like
поня́тие, understanding, idea, notion
поня́тно, it is clear, it is understood; naturally, obviously
поня́тный, -ая, -ое, -ые; поня́тен, поня́тна, поня́тно, clear, understandable
поня́ть: пойму́, поймёшь, пойму́т, P. of понима́ть, to understand

поотста́ть, P., to lag behind
попада́ться, I., попа́сться, I., to be caught
попа́сть: попаду́, попадёшь, -ут, P., to get (in), (at); to hit
попи́ть: попью́, P., to drink
попола́м, half and half, equally
поправля́ть, I., to correct, adjust
попро́буй-те, imper. of попро́бовать: попро́бую, -ешь, -ют, P., to try
попуга́й, parrot
попу́тный, travelling in the same direction
попыта́ться, P., to try, strive
пора́, (it is) time
до тех пор, until
поражён, поражена́, поражены́, dumbfounded, struck, overwhelmed
поразогна́ть, P., to chase away, drive away
порица́ть, I., to condemn, criticize
поро́г, threshold
портсига́р, cigarette case
портфе́ль (m.), briefcase
поручи́ть, P. of поруча́ть, to entrust, assign
порыться, P. of ры́ться: ро́юсь, ро́ешься, -ются, to rummage, to ransack
поря́док, order, system
поря́дочно, considerably; rather
посвяща́ть, I., to dedicate, initiate
поседе́ть, P., to become gray-haired
посёлок, settlement
посереди́не, in the middle, amidst
посети́тель (m.), visitor
посети́тельница, visitor
посиде́ть: посижу́, посиди́шь, -ят, P., to sit a while
поскоре́е, поскоре́й, quickly, fast, soon, sooner
посла́ть: пошлю́, пошлёшь, пошлю́т, P. of посыла́ть, to send, dispatch
по́сле, after
после́дний, -яя, ее, ие, adj., last, latest
посло́вица, proverb
послу́шай-те, imper. of послу́шать, P., to listen
послы́шаться, P., to be heard
посма́тривать, I., to look around
посме́иваться, I., to laugh a little
посмотре́ть: посмотрю́, -смо́тришь, -ят, P., to have a look, to look
поспе́шно, hurriedly, hastily
поспе́шность (f.), haste
посре́дственный, -ая, -ое, -ые, mediocre
пост, post, job, position
поста́вить: поста́влю, поста́вишь, -ят, P., to put, establish, organize
постановле́ние, resolution, decision
постановля́ть, I., to decree
посто́й-те, imper. of постоя́ть, P., to halt, stop, stand; wait
посторо́нний, -яя, -ее, -ие, stranger, outsider
постоя́нный, -ая, -ое, -ые, permanent, constant
поступать, I., to act, behave; to enter (a school)
поступи́ть: поступлю́, посту́пишь, -ят, P., to act; to come, enter
посту́пок, act, action
посу́да, crockery, dishes
посчастли́виться, P., to be lucky
мне посчастли́вилось, I was lucky, I had the luck
посыла́ть, I., to send
посы́паться, P., to scatter
пот, sweat, prespiration
потеря́ть, P. of терять, to lose
потихо́ньку, on the sly, secretly
потолкова́ть: потолку́ю, -толку́ешь, -ют, P. of толкова́ть, to discuss
пото́м, then, after, afterwards
пото́мок, offspring
потому́; потому́ что, because
поторопи́ться, P., to hasten
потреби́тель (m.), consumer
потре́бовать: потре́бую, -тре́буешь, -ют, P., to demand, to require
потре́буется; потре́буются, will be required

потрёпанный, -ая, -ое, -ые, worn, shabby
потрудитесь, imper. of потрудиться, P., to take the trouble, to exert oneself
потягивать, I., to waft; to reach, stretch
поучать, I., to teach
похвалить, P., to praise
похищение, abduction, theft
похлопывать, I., to slap, to pat
похоже, like, it looks like
похожий, -ая, -ее, -ие, adj., resembling, similar, like
похож, похожа на, look like
поцеловать, P. of целовать, to kiss
почему, why
вот почему, that's why
почему же, why then
нет, почему же, why not
почерпнуть, P., to glean, cull, draw
почёт, respect, esteem
почётный, -ая, -ое, -ые, adj., honorary, respectable
почитать, P. of читать, to read
почтенный, -ая, -ое, -ые, respectable, esteemed
почтеннейший, -ая, -ее, -ие, the most esteemed
почти, almost
почтительный, -ая, -ое, -ые, respectful
почувствовать, P. of чувствовать: чувствую, чувствуешь, -ют, to feel, sense
пошутить: пошучу, пошутишь, -ят, P. of шутить, to joke
поэт, poet
поэтический, -ая, -ое, -ие, poetic
поэтично, adv., poetic
появившийся, -аяся, -ееся, -иеся, which appeared
появиться: появлюсь, появишься, появятся, P., to appear
появляться, I., to appear
прав, -á, -о, -ы́, right
правда, truth
правильно, right, correct-ly
правление, board, administration
право, right, rightly; really
по-праву, rightfully
прадед, great-grandfather
праздник, holiday
практика, practice
практически, practically, actually
превзойти: превзойду, превзойдёшь, -ут; превзошёл, превзошла, превзошли, P., to surpass
превозносить: -ношу, -носишь, -носят, I., to praise, extol
преграждать, I., to obstruct, bar
предисловие, introduction
предлагать-ся, I., to offer, propose, suggest
предложение, proposal, offer
предложенный, -ая, -ое, -ые, offered
предосудительный, offensive, reprehensible
председатель (m.), chairman
представить, P., представлять, I., to introduce, present, to imagine
представить себе, to imagine
предстоять, P., to impend; to have to
предъявить, P., предъявлять, to present, hand over
прежде, before, formerly
прежний, -яя, -ее, -ие, former
президиум, presidium
презрительный, disdainful, scornful
преклонный, advanced, declining
преклонный возраст, advanced age, years
прекрасный, excellent, beautiful
прекрасно, excellently
прекратить: прекращу, прекратишь, -ят, P. of прекращать, to stop, cut short, to cease
прелестный, -ая, -ое, -ые, charming, adorable
прелестный пол, fair sex
премьера, premiere, first night performance
преподавание, teaching
преподносить, -ношу, -носишь, -носят, P., to present
препроводительный, adj., accompanying, attached

прерыва́ющийся, -аяся, -ееся, -иеся, breaking, cracking
прерыва́ть, I., to interrupt
пресс-папье́, paperweight
преступле́ние, crime
преувели́чивать, I., to exaggerate
при, at, with
при тебе́, in your presence (time)
при чём тут, what has that got to do
при чём, why
приближа́ться, I., to approach, come near
приблизи́тельно, approximately
прибы́ть: прибу́ду, прибу́дешь, -ут; при́был, прибыла́, P., to come, arrive
привезти́: привезу́, привезёшь, -ут; привёз, привезла́, привезли́, P. of привози́ть: привожу́, приво́зишь, to bring, carry
приверну́ть, P., to turn down, lower
приве́т, greeting
приве́тствовать: приве́тствую, приве́тствуешь, -ют, I., to greet
привлека́ть, I., to draw, attract
привлека́ть к отве́тственности, to put on trial; take to court
привле́чь, P. of привлека́ть
привози́ть, I., to bring
привокза́льный, adj., belonging to the station
привы́к, привы́кла, привы́кли, привы́кнуть, P., to get used to
привыка́ть, I., to get accustomed
привы́чка, habit
привя́зан, -а, -о, -ы, tied, attached
привя́занность (f.), attachment
пригласи́ть: приглашу́, приглаи́шь, -ят, P., to invite
приглаше́ние, invitation
пригля́дываться, I., to look about
при́городный, -ая, -ое, -ые, suburban
пригото́вить: пригото́влю, -ишь, -ят, P., to prepare
придётся, one must, one has to
мне придётся, I shall have to
прийти́сь, P. of приходи́ться, to fit; to have to do
приду́мать, P., to think, devise
прие́зд, arrival, coming
приезжа́ть, I., to arrive, come
приём, reception
приёмная, reception hall
приёмный день, reception day
прие́хать: прие́ду, прие́дешь, -ут, P., to come, arrive
прижа́ться: прижму́сь, -жмёшься, -жму́тся, P., to press oneself
приз, prize
призва́ние, calling, profession
при́знак, trait, feature, symptom
призна́ть, P., to recognize
призна́ть за, to take one for
призна́ться, P. of признава́ться, to admit, acknowledge, confess
прийти́; придти́, P., to come
прики́дываться, I., to sham, feign
прику́ривать, I., to smoke
прикури́ть, P., to light a cigarette (from another)
прила́вок, counter
приле́жный, -ая, -ое, -ые, diligent
прилепи́ться, P., to attach oneself
прилете́ть: прилечу́, -лети́шь, -ят, P., to fly in
прили́чный, -ая, -ое, -ые, decent, desirable
приложи́ть, P., to apply, attach
приме́р, example
к приме́ру, for instance
на приме́р, for example
примири́тельно, conciliatory
принадлежа́ть: принадлежу́, принадлежи́шь, -ат, I., to belong
принево́ливать, I., to force, coerce
принести́, P., to bring
принима́ть, I., to receive, take
приня́ть: приму́, при́мешь, -ут, P., to accept, receive, take
приня́ть за, to mistake for
припада́ть, I., to fall down
припада́ть на коле́но, to bend one knee
приписа́ть: припишу́, P., to ascribe, attribute, add
припо́мнить, P., to remember, recall
приро́да, nature

присвóить, P. of присвáивать, to assign; to take upon oneself
прислýшиваться, I., to listen intently
присовéтовать, P., to advise
пристрасти́ться, P., to become fond of, to become attached
присуди́ть, P., присуждáть, to adjudge; to award
присéсть: прися́ду, -ся́дешь, -ся́дут; прися́дь-те, (imper.), P. of присáживаться, to sit down
притоми́ться: притомлю́сь, -томи́шься, -томя́тся, P., to get tired
приходи́ть, I., to come
приходи́ться, I., прийти́сь, P., to fit; to be obliged; to have to
пришёл, 3rd p. past: прийти́ (придти́)
прия́тно, pleasant-ly
про, about, concerning
прóбовать: прóбую, прóбуешь, -ют, I., to try
провали́ть: провалю́, провáлишь, -ят, P., to fail, flunk
провали́ться, P., to fail; vanish, disappear; fall through
провéрить, P. of проверя́ть; imper. провéрь-те, to check up
проводи́ть: провожý, провóдишь, -ят, I., to lead, spend one's time
проводи́ться, I., to conduct
проглоти́ть: проглочý, проглóтишь, -ят, P., to swallow
продавéц, salesman
продáжа, sale
продвигáть, I., to advance; push
продли́ть: продлю́, продли́шь, -ят, P., to extend, prolong
продолжáть, I., to continue
продолжéние, continuation
продолжи́тельный, -ая, -ое, -ые, long, continued
продýкция, product, output, work
проéхать, P., to pass through
проживáть, I., to live, stay
прожи́ть: проживý, проживёшь, -ут, P., to live through
прожужжáть, P., to buzz
произведéние, production, work
произвóдство, industry, production; manufacture
пройти́, P., to go through, proceed
пройти́сь, P., to take a walk, stroll
происходи́ть, I., to take place, occur
прокля́тый, -ая, -ое, -ые, accursed
промолчáть, P., to be silent
промы́шленность (f.), industry
прописáть, to prescribe; to give a sound lesson (lecture), to scold
пропусти́ть, P., to skip, let through
проработка, workout, thrash-out
прорабóтать, P., to work through
просидéть, P., to sit through
проси́ть: прошý, прóсишь, -ят, I., to request; ask for, beg
прослы́шать, P., to get wind of, to hear
прóстенький, dim. of простóй, simple, simpleminded
прости́ть: прощý, прости́шь, -ят; прости́-те, (imper.), P. of прощáть, to forgive, pardon
прóсто, simply
простóй, -ая, -ое, -ые, simple, ordinary, unassuming
простотá, simplicity
прóсьба, request, favor
протéз, artificial limb
прóтив, opposite, against
противорéчие, contradiction
проти́снуться, P., to push through, chisel in
протя́гивать, I., to stretch forth, to give, hand over
проучи́ться, P., to study
профéссия, profession
профéссор, professor
профéссорский, professor's
прохлаждáться, I., to cool off, take it easy, to dally
проходи́ть, I., to pass by, through, to go through
прочéсть: прочтý, прочтёшь, -ут; прочёл, прочлá, P. of читáть, to read
прóчный, -ая, -ое, -ые, stable, solid, durable
прошлó, 3rd p.p.: пройти́

прошлого́дний, -яя, -ее, -ие, last year's

про́шлый, past, last

в про́шлом году́, last year

прошу́, see: проси́ть

проща́й, проща́йте, goodbye, fare-well

проща́льный, -ая, -ое, -ые, adj., farewell; parting, departing

про́ще, compar. просто́й, simple

пры́гать, I., to jump

пря́мо, directly, simply, straight, right

пря́мо-таки́, outright, simply, indeed, really

пря́тать: пря́чу, пря́чешь, -ут, I., to hide

пря́таться, I., to hide

птене́ц, gen. s. птенца́, fledgeling

пу́блика, public

пузырёк, dim. of пузы́рь (m.), phial, vial

пункт, place, post

пунцо́вый, -ая, -ое, -ые, crimson

пуска́й-те, imper. of пуска́ть, I., to let, allow

пуска́ть: I., пусти́ть: P. пущу́, пу́стишь, пу́стят; imper.: пусти́-те, let, allow; to let one go

пусто́й, empty

пустя́к, trifle, trifling matter

пусть, let (3rd p.): пусти́ть, P., to let, allow

пу́тать, I., to mix up, confuse

путь (m.), road, way

по пути́, in the same direction

пьёт, see: пить

пьют, see: пить

пыта́ться, I., to try, attempt, strive

пы́тка, torture, torment

пы́шный, -ая, -ое, -ые, adj., luxur-ious, magnificent

пятна́дцать, fifteen

пя́тый, fifth

пять, five

пятьдеся́т, fifty

Р

рабо́та, work

рабо́тать, I., to work, serve

рабо́тник, worker

рабо́тница, worker

рабо́чий, -ая, -ее, -ие, adj., working, worker's

равно́, equal-ly

всё равно́, all the same

рад, -а, -о, -ы, glad

ра́ди, for the sake of

ра́доваться: ра́дуюсь, ра́дуешься, -ются, I., to rejoice

ра́достно, joyfully

ра́достный, -ая, -ое, -ые, adj., joy-ful, happy

ра́дость (f.), joy

раз, once, one time

раз уж, since

ни ра́зу, not once

в како́й раз, many a time

разбира́ться: разбира́юсь, разбира́-ешься, -ются, I., to make out

ра́зве, how can one; except; may be; perhaps, is it possible, really

разверну́ться, P., to loosen up, to develop

развёртывание, development

развёртывать, I., to unfold, open

развесели́ть, P., to make one cheer-ful; to cheer one up

развести́сь, P., to divorce

разви́тие, development

развора́чивать, I., to unfold, unwrap

разгова́ривать, I., to converse

разгово́р, conversation, talk

разгрузи́ть: -гружу́, -гру́зишь, -ят, P., to unload; to empty

раздава́ться, I., to be heard, resound

раздаётся, is heard

разделя́ть, I., to share, divide

раздраже́ние, irritation

разду́мие, consideration, reflection

разложи́ть, P., to lay out

раскла́дывать, I., to exhibit, to lay out, display

разлу́ка, separation, parting

разлюби́ть, P., to cease loving

разменя́ть, I., to change, exchange

ра́зный, -ая, -ое, -ые, adj., different, various

по-ра́зному, differently, in a different way
разобра́ться: разберу́сь, -берёшься, -беру́тся, P., to make out, analyze
разозли́ться: разозлю́сь, -зли́шься, -злятся, P., to get angry
разойти́сь, P., to part, separate
разорва́ться, P., to blow up, burst
разреши́ть: разрешу́, разреши́шь, -ат, P., to permit, allow
разрисо́вывать, I., to paint, to embellish
разруша́ть, I., to ruin, destroy
разры́в, break up
разря́д, category
разу́мный, -ая, -ое, -ые, sensible, reasonable
разыска́ть: разыщу́, разы́щешь, -ут, P., to find, locate; search
разъе́зд, siding, cross road
разъясни́ть, P., to clarify, explain
райо́н, region
райо́нный, -ая, ое, ые, regional
раки́та, willow
раки́тинский, -ая, ие, adj., willows
ра́ма, frame
ра́нее, earlier
ра́но, early
рано еще, still early
рань (f.), early hours
ра́ньше, formerly, before, in the past
раскрыва́ть, I. раскрыть, P., to open, reveal, expose
раскупа́ть, I., to buy up
распа́хиваться, I., to fly open, open up
распа́хнутый, -ая, -ое, -ые, wide-open
распахну́ть, P., to open wide
расписа́ться, P., to sign, register
распра́виться, P., to mete out justice, to settle accounts, bring to reason
распусти́вшийся, -аяся, -ееся, -иеся, blossoming; delinquent
распусти́ться, P., to blossom; to become slovenly; acquire bad habits
рассерди́ться, P., to become angry
рассе́янно, absent-mindedly
рассе́янность (f.), absent-mindedness
рассе́янный, -ая, -ое, -ые, forgetful, absent-minded
расскажи́-те, imper. of рассказа́ть: расскажу́, расска́жешь, -ут, P. of расска́зывать, to tell, narrate
рассмея́ться, P., to burst out laughing
расста́ться, P., to part, separate; give up
расстегну́ть, P., расстёгивать I., to undo, unbutton
расстоя́ние, distance
рассуди́тельно, sensibly, reasonably
рассуди́ть, P., to reason out
рассужда́ть, I., to discuss, contend
расте́рянно, dismayed, perplexed
расте́рян, -а, ы, confused
растеря́ться, P., to be disconcerted, to be at a loss
расти́, I., to grow
расти́ть: ращу́, расти́шь, -ят, I., to grow, rear, to bring up
растрёпанный, -ая, -ое, -ые, dishevelled
растя́па, good-for-nothing
расхва́ливать, I., to praise
расхлёбывать, I., to eat up; to clear up
расчёт, computation, calculation
расчётливый, -ая, ые, thrifty
рвану́ть, P., to tear away
рвану́ться, P., to tear oneself away; to dash
реа́льно, realistically
реа́льность (f.), reality
реа́льный, -ая, -ое, -ые, real
ребёнок, pl. ребя́та, dim.: ребя́тки, (kids), child
ре́жь-те, imper. of ре́зать: ре́жу, ре́жешь, -ут, I., to cut
рези́новый, adj., rubber
ре́зкий, -ая, -ое, -ие, sharp, loud, abrupt
ре́зко, sharply; quickly
ре́йс, trip
рекомендова́ть; рекоменду́ю, рекоменду́ешь, -у́ют, I., to recommend, advise

рекоменду́емый, recommended
ренесса́нс, Renaissance
ре́плика, remark
республика́нский, adj., republican
рессо́ра, spring
рессо́рный, spring
рессо́рная бри́чка, carriage on springs
рестора́н, restaurant
рестора́ция, (folk) restaurant
речь (f.), speech, talk
реша́ть, I., реши́ть, P., to decide; to solve
решён, -а́, -о́, -ы́, decided, resolved
реше́ние, resolution, decision
реши́тельно, resolutely
реши́ться, P., to dare; decide
рису́нок, design, drawing
ро́дина, fatherland
роди́тели, parents
роди́тельница, parent (mother)
роди́тельский, parents'
роди́ть, P., рожда́ть, I., to bear; to give birth
родно́й, -ая, -ое, -ые, native; relative, one's own
рождённый, -ая, -ые, born
ро́жки, dim. pl. рога́; рог, horn
ро́за, rose
роль (f.), role
рома́н, novel
роня́ть, I., to drop
рос, росла́, росли́, past of расти́, I., to grow
роско́шно, sumptuously
роско́шный, -ая, -ое, -ые, luxurious, sumptuous, splendid
ро́скошь (f.), luxury
ро́слый, -ая, -ые, tall, heavily built
рот, рта, рту, рот, ртом, во рту, mouth
руба́шка, shirt
руби́ть: рублю́, ру́бишь, -ят, I., to cut down, to chop
руби́ть с плеча́, to do something impulsively, abruptly
рубль (m.), rouble
рука́, hand, arm
отда́ть на́ руки, to hand over
по́д руку, by the arm
за́ руку, by the hand
рука́в, sleeve
руководи́тель (m.), leader, guide
ру́сский, -ая, -ое, -ие, adj., Russian
adv.: по-ру́сски, Russian, in Russian
руча́ться, I., to guarantee
ру́чка, dim. of рука́, also: handle, knob
руши́ться, P., to tumble down, totter
ры́ба, fish
ры́ться, ро́юсь, ро́ешься, -ются, I., to ransack, rummage
рыча́г, lever
рядово́й, common, ordinary
ря́дом, side by side

С

с, со, with, by; off, from, for, over, since
сад, garden
сади́ться: сажу́сь, сади́шься, -ятся; (сади́тесь; сади́сь, imper.), P., to be seated; to sit down
садо́вый, adj., garden
сала́т, salad
салю́т, salutation
сам: самого́, самому́, самого́, сами́м, само́м; himself (oneself)
сама́: само́й, само́й, самоё, само́й, само́й; herself
са́ми: сами́х, сами́м, сами́х, сами́ми, сами́х, oneself, self (themselves)
сама́ по себе́, all by herself; all by itself
самобичева́ние, self-flagellation, accusation
са́мый, са́мая, са́мое, са́мые, the very, that very (same thing)
сапо́г, boot
сбива́ть, I., to confuse, perplex
сбива́ть с то́лку, to confuse
сбить: собью́, собьёшь, собью́т, P., to knock down; to confuse
свали́вшийся, dropped, fallen
све́дение, information
к твоему́ (ва́шему) све́дению, for your imformation

свернýть, P., to turn off, step off; to fold
свéрстник, a person of the same age
свёрток, bundle, package
свет, light
чуть свет, at daybreak
свидáние, meeting; rendezvous
до-свидáния, good-bye
свобóден, свобóдна, свобóдны, free
свобóдный, -ая, -ое, -ые, free
свой, своя́, своё, свои́, one's own
свя́занный, bound, connected, tied
связь (f.), connection, contact
святóй, -áя, -óе, -ы́е, holy, sacred
сгибáться, I., to bend over, stoop
сглáзить: сглáжу, сглáзишь, сглáзят, P., to cast an evil spell
сгорéть, P., of горéть: горю́, гори́шь, -ят, to burn, burn up
сдáча, change (money)
сдви́нуть, P., to push down, move
сдéлать, P., of дéлать, to do, make
сдéлайте ми́лость, do (me) a favor
сдéлаться, P., to become; to be
сдержáть, P., of сдéрживать, to hold, control
сдéрживаться, I., to control oneself
себя́: себé, себя́, собóй, о себé, oneself
у себя́, at one's place
тáк себé, so-so
про себя́, (about) to oneself
себя́ показáть, to show oneself (off)
сéверный, -ая, -ое, -ые, northern
сегóдня, today
седéющий, graying
седóй, gray-haired
сей, сия́, сиé, сии́, this
сейчáс, now, at present, right away
секрéт, secret
секýнда, second
селéкция, selection, choice
сéльский, -ая, -ое, -ие, rural
сéльскохозя́йственный, rural, agricultural
сéльхóзснáб, сéльскохозя́йственное снабжéние, agricultural supply (office)
семéйный, pertaining to a family, family (man), married
семнáдцатый, -ая, -ое, -ые, seventeenth
семь, seven
семья́, family
серви́з, dinner or tea service
сердéчный, -ая, -ое, -ые, adj., heart; warm-hearted, kind
серди́ться: сержýсь, сéрдишься, -ятся, I., to be angry
сéрдце, heart
серéбряный, -ая, -ое, -ые, silver
Серёга, dim. of Сергéй, Sergius
сери́йный, -ая, -ое, -ые, series, serial
серьёзно, seriously
серьёзность (f.), seriousness
серьёзный, serious, earnest
сéрый, -ая, -ое, -ые, gray; ignorant
сéссия, session
сестри́ца, dim. of сестрá, sister
сидéть: сижý, сиди́шь, -ят, I., to sit
си́ла, strength, power, force remain
симметри́я, symmetry
симпáтия, sympathy, proclivity
сирéнь (f.), lilac
сирóп, syrup
ситýация, situation, position
сию́, acc. (f.) of сия́; (сей, сие, сии)
скажи́-те, imper. of сказáть
скáзанный, said, told
сказáть: скажý, скáжешь, -ут, P., to tell, say
скамéйка, bench, seat
скáтерть (f.), tablecloth
сквозня́к, draft
склад, warehouse, storehouse
сковорóдка, frying pan
склони́ться, P., to bend down, stoop; incline
скóлько, how much; how many
скорée, quick-ly; sooner
скорée всегó, rather, more likely
скорéй, rather, quickly
скóро, soon, quickly, fast
скóроспéлый, -ая, -ое, -ые, hasty
скрóмно, modestly
скрóмный, -ая, -ое, -ые, modest
скрывáться, I., to hide
скрыть: скрóю, скрóешь, -ют, P., of скрывáть, to hide, conceal

скýльптор, sculptor
скульптýра, sculpture
скульптýрный, -ая, -ое, -ые, sculptural, plastic
слáбый, weak
слáва, fame, glory
слáвиться, I., to be renowned; to be famous; to be praised
слéва, to (on) the left
слáдить: слáжу, слáдишь, -ят, P., of слáживать, to bring about; come to an agreement
слáдко, sweet-ly
слéдовало, слéдовало бы, one ought to
слéдовать: слéдую, слéдуешь, -ют, I., to follow; go after
слéдовательно, consequently; it means
слéдом, after (one)
слéдует, it follows; one ought to
как слéдует, as (it) should be
слезá, tear
слéсарь (m.), locksmith
слúшком, too, too much
слóвно, as if
слóво, word
однúм слóвом, in a word
слог, syllable, style
слóженный, -ая, -ое, -ые, put together, shaped
сложúть: сложý, -ишь, -ат, P. of склáдывать, to put together; fold
сложúться, P. of складываться, to store up; put together, form, combine
сложúлись обстоя́тельства, due to the circumstances
слóжный, complicated, complex
слýжащий, -ая, -ие, employee, worker
служéбный, service, serving
служúть, I., to serve, work
слýчай, incident, case
случáйно, casually, by accident
случúться, P., to happen, take place
слýшать; I., слýшай-те, (imper.); to listen; to obey
слыхáть, I., to hear
слы́шать: слы́шу, слы́шишь, -ат, I., to hear
слы́шен, слышнá, слы́шно, (is) (was) heard, one heard
слы́шится, (is) heard
смáчивать, I., смочúть, P., to wet, to dampen
смéжный, -ая, -ое, -ые, adjoining, adjacent
смéлость (f.), daring, courage
сменúть, P. of меня́ть, to change, to substitute
смерть (f.), death
дó смерти, extremely, terribly
сметь, I., imper.: смéй, смéйте, to dare
смех, laughter
смешнóй, ridiculous
смея́ться: смеюсь, смеёшься, -ются, I., to laugh
смогý, 1st p. F. смочь
смóжете, see смочь
смóлкнуть: смóлкну, -ешь, -ут; смолк, смóлкла, смóлкли, P., to grow silent; stop talking
смóлоду, since youth
смотрéть: смотрю́, смóтришь-ят; imper.; смотрú-те; gerund: смотря́, I., to look, see
смочь: смогý, смóжешь, смóжет, смóжем, смóжете, смóгут; смог, смоглá, смоглú, P., to be able to
смущённо, embarrassed, confused
смущённый, -ая, -ое, -ые, confused
смя́тый, -ая, -ое, -ые, crushed, wrinkled, crumpled
смять: сомнý, сомнёшь, сомнýт; смяться, P. of мять-ся, to crush, squash; be embarrassed
снабжáть, I., to supply, to provide
сначáла, at first; from the beginning
снимáть, I., to take off
снúмок, picture, photograph
снóва, again, anew
сносúть: сношý, I., to bear, carry off
снять: снимý, снúмешь, -ут, P. of снимáть, to take off
снимать, снять с постóв, to dismiss, to demote

соа́втор, co-author
собира́ть, I., to gather, collect
собира́ться, I., to get ready, get together; set off; plan, intend
соблаговоли́ть, P., to be good (enough); to have the kindness
собра́ние, meeting
собра́ть, P., to collect
собра́ться: соберу́сь, себерёшься, -утся, P. of собира́ться, to get together, gather
со́бственно, really, in truth; actually, particularly; as a matter of fact; strictly speaking
со́бственный, one's own
соверше́нно, quite, utterly, completely
со́вестно, ashamed
сове́т, advice, council, counsel
сове́тский, -ая, -ое, -ие, adj., pertaining to: council, Soviet
сово́к, gen. совка, dust pan
совраща́ть, I., to corrupt
  совраща́ть с и́стинного пути́, to lead (one) astray; misdirect
совсе́м, altogether
  не совсе́м, not quite
  совсе́м не, not at all
согла́сен, согла́сна, согла́сны, (one) consents, agrees; willing
согласи́ться: соглашу́сь, согласи́шься, -ятся, P., to agree
соглаша́ться, I., to agree
содержи́мое, contents, contained
соединя́ть, I., to join
сожале́ние, regret, pity
  к сожале́нию, unfortunately, regrettably; it's a pity; (I am) sorry
сожале́ть, I., to regret
созда́ть; созда́м, созда́шь, создаду́т, P., to create
сойти́, сойду́, сойдёшь, сойду́т, P., to pass, descend; сойдёт, that'll do; it'll pass
  сойти́ с ума́, to lose one's mind
сойти́сь, P., of сходи́ться, to come together, to meet; to agree
со́кол, falcon
сокрушённо, crushed, downcast
соли́дность (f.), firmness, reliability
соли́дный, -ая, -ое, -ые, solid, imposing
солове́й, pl. соловьи́, nightingale
соло́менный, -ая, -ое, -ые, adj., straw
со́лнечный, sunny
сомнева́ться, I., to doubt
сомне́ние, doubt
соображáть, I., to realize
сообщи́ть, P. of сообщать, to inform, notify
соотве́тствовать, to correspond
сорва́ться, P. of срыва́ться, to fall through; fail
соревнова́ние, competition, contest
со́рок, forty
сорокале́тие, fortieth anniversary
сорт, sort, kind
сосе́д, pl. сосе́ди, neighbor
соску́читься, P., to feel lonely; to be bored
сосредото́читься: -то́чусь, -ишься, -атся, P. of сосредото́чиваться, to concentrate
соста́риться, P., to grow (become) old
состоя́ние, condition, state
состоя́ть: состою́, состои́шь, -ят, I., to consist; to be made of
состоя́ться, P., to take place
со́тня, hundred
сотру́дничек, pl. сотру́днички, dim. of сотру́дник, fellow worker, colleague
сохра́нность (f.), safety, safekeeping
социалисти́ческий, -ая, -ое, -ие, socialist
сочини́тельство, invention, fiction
спаси́бо, thanks, thank you
спаси́бочко, dim. of спаси́бо
спецо́вка, working clothes, overalls
спеши́ть: спешу́, спеши́шь, -а́т, I., to hurry, to hasten
специали́ст, specialist
спина́, back
Спиридо́нович, patronymic of Спиридо́н, Spiridon
спи́чка, match
споко́йно, calmly, quietly

спокóйный, -ая, -ое, -ые; спокóен, спокóйна, спокóйны, calm, quiet, peaceful
спóрить, I., to argue, debate, bet
споткнýться, P., to stumble
спосóбность (f.), ability, talent
спохвати́ться, P., to discover suddenly, to recall suddenly; check oneself
спрáва, to the right
справедли́вость (f.), justice
по справедли́вости, in justice, for (a) good reason
спрáвиться: спрáвлюсь, -ишься, -ятся, P., to manage, to cope, to control; to inquire
спрáвишься, one can manage, one can handle; one may succeed
спрáшивать, I., to ask, inquire
спроси́ть, P. of спрáшивать
спря́таться; спря́чусь, спря́чешься, -утся, P., to hide
спуск, descent
спускáть, I., to lower
спускáться, I., to come down, descend
спýтник, спýтница, companion, fellow-traveler
сравни́ть, P., to compare
срáзу, at once
среди́, amidst, among
срéдний, middle, average
срéдняя шкóла, high school
срéдних лет, middle-aged
срéдство, means, remedy
срывáть, I., to tear away; break up
ссóрить, I., to quarrel, to clash; to make one quarrel
стáвить: стáвлю, стáвишь, -ят, P., to put, present; raise a question
стáдия, stage
стакáн, (drinking) glass
стáло, 3rd p. p. стать, P., to become; get; begin
стáло быть, therefore; consequently; well then
станови́ться, I., to stand; to become
P.: стать (станови́ться) в óчередь, to stand in line
стань-те, imper.: stand
стáнция, station
стáренький, -ая, -ие, dim. of стáрый, old
старéть, I., to grow old
стари́к, dim.: старичёк; also старикáшка, old man; a feeble old man, dottard
старинá, old days, times gone by
стáрить, I., to make one old
старýха, dim.: старýшка, old woman
стáршеклáссница, older pupil, senior
стáрший, -ая, -ее, -ие, older, elder, senior
стáрый, -ая, -ое, -ые, old
статуэ́тка, (dim.), small statue
стать (f.), form, figure, shape
с какóй стáти, for what reason, what is the good
стать: стáну, стáнешь, стáнут, P. of станови́ться, to become, start, get, begin
стащи́ть: стащý, стáщишь, -ат, P., to swipe
стеклó, dim.: стёклышко, glass
степнóй, adj., belonging to the степь (f.), plain, meadowland
стесня́ться, I., to be shy
стиль (m.), style
сто, hundred
стой, (imper.), stop, halt
стóить, I., to cost; to be worth
подýмать стóит, it is worth thinking about
стол, dim. стóлик, table, desk
пи́сьменный стол, writing desk
столкновéние, collision, clash
столь, thus, so
стóлько, so much, so many
стóпка; стопá, pile, heap
сторонá, side
сторонóй, from the outside; from the outsiders
в стóрону, aside
стоя́ть: стою, стои́шь, -ят, I., to stand
стоя́щий, -ая, -ее, -ие, participle of стоя́ть: стою́, (standing)
стóящий, -ая, -ее, -ие, worthy, valuable
странá, country

стра́нно, strange(ly)
стра́стный, -ая, -ое, -ые, passionate
стратеги́ческий, -ая, -ое, -ие, strategic
страх, fear, fright
стра́шный, -ая, -ое, -ые, frightful, dreadful, awful
стреми́тельно, hastily, headlong, quickly
стреми́тельность (f.), rashness, impetuosity; rush
стреми́ться: стремлю́сь, стреми́шься, -ятся, I., to try, endeavor; aspire
стро́гость (f.), severity, strictness
стро́йный, -ая, -ое, -ые, well-built, shapely, slim; stately; straight
стро́ить, I., to build
стрясти́сь, P., to befall, to happen
студе́нт, student
стук, knock
стул, pl. сту́лья, chair
ступа́йте, imper. of ступа́ть, I., to go about (along), march along
ступе́нька, dim. ступе́нь (f.), step
стыд, shame, disgrace
сты́дно, ashamed
суббо́та, Saturday
суда́к, sandre (a species of fish)
суда́рыня, lady, madame
суда́чить, I., to gossip
суди́ть: сужу́, су́дишь, -ят, I., to judge; accuse
судьба́, fate, destiny, life
суёт, 3rd p. pres, of сова́ть: сую́, суёшь, сую́т, I., to shove, poke
сумасше́дший, -ая, -ее, -ие, insane, crazy
су́мка, су́мочка, dim., bag, satchel
су́мма, amount, sum
су́нуть, P. of сова́ть
суро́вый, -ая, -ое, -ые, stern
су́тки, twenty four hours
суха́рь (m.), cracker; biscuit
  академи́ческий суха́рь, dry as a bone; dry as dust
сухо́й, -ая, -ое, -ие, dry
схвати́ть: схвачу́, схва́тишь, -ят, P., to grasp, grab, seize
схвати́ться, P., to seize, grasp; to recall suddenly
сходи́ть, I., to descend
  сходи́ть -сойти́ с ума́, to lose one's mind; to go crazy
сходи́ться, I., to come together, agree
схо́дство, similarity
сце́на, scene, stage
сча́стлив, -а, -о, -ы, счастли́вый, happy, lucky
сча́стье, happiness, luck
счесть: сочту́, сочтёшь, сочту́т, P., to consider
счёты, abacus
счита́ть, I., to consider, think, to figure out, count; mean
счита́ться, I., to consider, to be considered, to take into account
сшиба́ть, I., to knock down, to knock off
съе́здить, P. of е́здить: е́зжу, е́здишь, to ride; travel, go on a trip
съёмка, picture taking (making)
сын, dim.: сыно́к, сыно́чек, pl. сыновья́, son
сыр, cheese
сюда́, here, (hither), here to (with a verb of motion)
сюрпри́з, surprise

Т

таба́к, tobacco
таба́чный, adj., tobacco
таз, pan, bowl
та́йна, secret, secrecy
так, so thus; but
  так вот, well then
  так сказа́ть, so to speak
  а так, just so
  и так, thus, this way
  так-так, so, well-well, just so
  так то́чно, yes indeed, yes, Sir
  таки́, yet, though, nevertheless
та́кже, also, likewise
тако́й, така́я, тако́е, таки́е, such, such like
тала́нт, talent
тала́нтливость (f.), talent

тала́нтливый, -ая, -ое, -ые, gifted, talented
там, there
танцова́ть: танцу́ю, танцу́ешь, -ют, I., to dance
Та́ня, dim. of Татья́на, Tatiana
таре́лка, plate, dish
тащи́ть: тащу́, та́щишь, -ат, I., to bring, haul, drag
тащи́ться, I., to drag oneself
тверди́ть: твержу́, тверди́шь, -я́т, I., to repeat, reiterate
твой, твоя́, твоё, твои́, thy, thine
тво́рческий, -ая, -ое, -ие, creative, productive, producing
тво́рчество, creation, artistic production
те, pl. of тот
теа́тр, theatre
театра́льно, adv. theatrically, with ostentation
тебе́, see ты
тебя́, see ты
те́де: и т.д.: и так да́лее, and so forth, so on
телефо́н, telephone
 говори́ть по телефо́ну, to call up, to speak on the 'phone
телефо́нный, -ая, ое, ые, adj., telephone
тем, see тот
 тем бо́лее, especially, moreover, more so
те́ма, theme, topic, subject
тёмный, -ая, -ое, -ые, dark
тени́стый, -ая, -ое, -ые, shady
тень (f.), shade, shadow
теорети́чески, theoretically
те́пе: и тому́ подо́бное, и т.п., and such like
тепе́рь, now, at present
теплée, comp. adj., тёплый, -ая, -ое, -ые, warm
тепло́, adv., warm, warmly
Терёша, dim. of Тере́нтий, Terence
терпели́во, patiently
те́рпкий, -ая, -ое, -ие, tart, sharp, pungent
терра́са, terrace
теря́ть, I., to lose
тетра́дь (f.), notebook, exercise book
техноло́гия, technology
тёща, mother-in-law
ти́кать, I. (folk), to run away
Тимофе́евна, patronymic (daughter of) Тимофе́й, Timothy
типи́чно, typical-ly
типу́н, pip
ти́хо, softly, quietly
ти́ше, comp. adj. & adv. of тихий, quiet-er
то, particle used for emphasis: сам-то, he himself, you yourself
 то, see тот
 а то, otherwise, since
 не то, not that, something else; otherwise; or else
 то́-есть, т.е., that is (i.e.)
 то же, the same
 то ли, not only that; still more
 то-то, now then; that's just it
 то, то, this and that
 а то ещё, otherwise
тобо́й, see ты
това́рищ, comrade, friend
тогда́, then, at that time
то́же, also
толк, sense, meaning, rumor
толкова́ть: толку́ю, толку́ешь, -ют, I., to tell, explain
толпа́, crowd
толпи́ться, I., to crowd, swarm
толчёный, crushed, ground
то́лько, only, but, merely
 то́лько что, just now, a while ago
 то́лько-то́лько, barely, hardly
то́мик, dim. of том, volume
томи́ть; томлю́, томи́шь, -я́т, I., to make one suffer, to weary
тому́, dat. of тот
 тому́ наза́д, ago
тон, tone
 в тон, in the same key; in the same tone of voice
то́нкость (f.), fine point, finesse, artistry
торгова́ть: торгу́ю, -ешь, -ют, I., to trade, sell

торго́вый, -ая, -ое, -ые, adj., trade, trading, business
торопи́сь, торопи́тесь, imper. of торопи́ться: тороплю́сь, торо́пишься, -ятся, I., to hasten, to be in a hurry
торопли́во, hastily, hurriedly
торф, peat (fuel), turf
то́рфоразрабо́тка, peat industry
тот: того́, тому́, тот/того́, тем, о том; та, той, той, ту, той, о той; то: того́, тому́, то, тем, о том; те: тех, тем, те/тех, те́ми, о тех, that
до того́, to such an extent, so, before that
к тому́ же, besides
то́чка, period, stop, dot, mark, point
то́чка зре́ния, point of view
то́чно, exactly, sure-ly, for sure
так то́чно, quite right, just so, exactly so
тра́гик, tragedian
трамва́й, streetcar
трамва́йный, adj., streetcar
тре́бование, demand
тре́бовать: тре́бую, тре́буешь, -ют, I., to demand
трево́жный, -ая, -ое, -ые, alarming; alarmed
тре́звый, sober, sound
тре́тий, тре́тья, тре́тье, тре́тьи, third
три: трёх, трём, три/трёх, тремя́, о трёх, three
три́дцать, thirty
триу́мф, triumph, victory
тро́е, three
тро́нуться, P., to move, start
тропи́нка, path
тру́бка, receiver; pipe
труд, work, labor
труди́ться: тружу́сь, тру́дишься, -ятся, I., to work, labor
тру́дно, (it is) difficult; difficult, hard
до чего́ тру́дно, how difficult
тру́женик, тру́женица, worker; hard worker
трясти́, I., to shake
трясти́сь: трясу́сь, трясёшься, -утся; тря́сся, трясла́сь, -и́сь, I., to shake; to be shaken (jolted) about
трясу́щийся, shaking, shaky, trembling
тряхну́ть, P., to shake up, to jolt
тугова́то, tight-ly; with difficulty
туго́й, -а́я, -о́е, -и́е, tight
туда́, there
тури́ст, tourist
ту́склый, -ая, -ое, -ые, dim, dull
тут, here
тща́тельно, thoroughly
ты: тебя́, тебе́, тебя́, тобо́й, о тебе́, thou
ты́сяча, thousand
ты́сячу раз, thousand times
тьма, a vast number; darkness
тьфу, pshaw! deuce take it! ugh!
тяжело́, hard, heavily, with difficulty
тяжёлый, -ая, -ое, -ые, hard, heavy, difficult

У

у, of, off, from, by, near, at
у меня́, I have; at my place
у него́, he has
убега́ть, I., убежать, P., to run away; run off
убеди́ть; убеди́шь, -ят, P., to convince
убеди́ться, P., to become convinced, to be satisfied
убежде́ние, conviction, persuasion
убира́ть, I., to clean up, take away
уби́ть: убью, убьёшь, убью́т, P., to kill, murder
ублаготвори́ть, P., to satisfy, grant a request, make one happy, take care
убы́точный, -ая, -ое, -ые, unprofitable, losing, wasteful
уважа́емый, -ая, -ое, -ые, esteemed, respected
уважа́ть, I., to respect
уваже́ние, respect
ува́жь, ува́жьте, imper. of ува́жить, P. (folk), to take into consideration, consider; allow

уве́рен, -а, -о, -ы, sure, convinced
уверя́ть, I., to assure
уви́деть, P., to see
увлека́ть, I., увле́чь, P., увлеку́, увлечёшь, увлеку́т; p.: увлёк, увлекла́, to carry away
уво́лить, P., to dismiss, discharge
увы́, alas
увяда́ть, I., to fade, wilt
увя́дший, -ая, -ее, -ие, (p. participle), wilted, faded
угово́р, persuasion, coaxing; understanding
угоди́ть: угожу́, угоди́шь, -ят, P. of угожда́ть, to oblige, to please
уго́дно, (one is) pleased
что вам уго́дно, what do you wish; what would you like
уго́дно ли вам, would it please you, wouldn't you like
уголо́к, dim. of у́гол, corner, nook, spot
угости́ть: угощу́, угости́шь, -я́т, P., to treat
угоща́йся, угоща́йтесь, imper. of угоща́ться, I., to treat
угоща́ть, I., угости́ть, P., to treat, entertain
угоще́ние, treat, entertainment
угрожа́ть, I., to threaten
уда́р, blow, stroke
уда́рить, P., to hit, strike
ударя́ться, I., to hit
уда́чно, successful-ly, luckily
уда́чный, -ая, -ое, -ые, lucky, smart, fortunate, successful
удиви́ть, P., of удивлять, I., to surprise
удивле́ние, surprise, amazement
удивлённо, incredulously, surprised; in wonder
удивлённый, -ая, -ое, -ые, surprised, astonished
удо́бно, convenient, decent
удово́льствие, pleasure, enjoyment
одно́ удово́льствие, sheer pleasure, pure joy
удобре́ние, fertilizing, fertilizer
удостовере́ние, certificate
удостоверя́ть, I., to certify
уезжа́ть, I., to go away
уе́хать, P., to go away, leave
уж, уже́, already, too
нет уж, definitely no
у́жас, horror
узнава́ть: узнаю́, узнаёшь, -ют, I., узна́ть, P., to learn, find out; recognize
узо́р, pattern, design
уйдёшь, 2nd p. of уйти́, P., to go away
уйми́, imper. of уня́ть: уйму́, уймёшь, уйму́т, P., to curb, curtail; to calm down
ука́зывать, I., to point (to) at
укла́дывать, I., to pack
укло́нчиво, evasively
укра́сть: украду́, P., to steal
ула́дить: ула́жу, ула́дишь, -ят, P., to settle; to straighten out
ула́дится, things will come out all right
у́лица, street
уложи́ть, P., to pack, stow things away
улыба́ться, I., to smile
улы́бка, smile
улыбну́ться, P., to smile
ум, mind, reason
умён, умна́, умно́, умны́, clever, smart
у́мный, -ая, -ое, -ые, clever, smart
умести́ться, P., to pack, to be placed, to have enough room (space)
уме́ть, I., to be able
умира́ющий, -ая, -ее, -ие, dying
у́мница, smart fellow; smarty
умно́жить: умно́жу, умно́жишь, -ат, P., to augment, multiply
умо́йся, умо́йтесь, imper. of умы́ться, P., to wash
умоля́ть, I., to implore
умори́ть, P., to kill, slay; exhaust
унести́: унесу́, -несёшь, -ут; away
унёс, унесла́, унесли́, P., to carry
уника́льный, -ая, ое, ые, unique, original
уноси́ть, I., to carry away

уны́лый, downcast, sad
упа́вший, -ая, -ее, -ие, sunk, fallen; sinking
упа́сть; упаду́, упадёшь, -ут; упал, упа́ла, упа́ли, P., to fall, decline, to drop
  упасть на коле́ни, to fall (drop) on one's knees
упира́ться, I., to resist; lean against
упорхну́ть, P., to fly away
упра́виться: упра́влюсь, упра́вишься, -ятся, P., to complete, to manage, to see to the end
упрёк, reproach, rebuke
упрости́ть: упрощу́, упрости́шь, -я́т, P., to simplify
упроще́нчество, simplification
упря́мо, stubbornly
ура́, hurrah!
урони́ть, P., to drop, let fall
уса́живать, I., to seat; to make (one) sit down
уси́дчивый, -ая, -ое, -ые, steadfast, persevering, conscientious
уси́ленно, increasingly
усло́вие, condition; understanding
усло́виться: усло́влюсь, -ишься, -ятся, P., to agree, to come to terms
усмеха́ться, I., to smile (at)
усмехну́ться, P., to smile
усме́шка, smile, smirk
успева́емость (f.), progress
успе́ть; успе́ю, успе́ешь, -ют, P., to be in (on) time; to succeed; to have time
успе́х, success
успоко́иться: успоко́юсь; imper.: успоко́йся, успоко́йтесь, P., to calm down, to calm (oneself)
уста́лый, -ая, -ое, -ые, tired
уста́ть: уста́ну, уста́нешь, -ут; уста́л, -а, -о, -и, P. of устава́ть: устаю́, устаёшь, -ют, to get (become) tired, to tire
усто́й, pl. усто́и, principle, basis, foundation, standard
устра́ивать, I., to arrange
устра́иваться, I., to get a job, to get settled, to fix up
устро́ить, устро́иться, P., to arrange, establish, settle, organize
утвержда́ть, I., утверди́ть, P., to declare, maintain, affirm, state
утверди́ться, P., to consolidate, strengthen
ути́льщик, collector of scrap
утира́ть, I., to wipe (away)
уткну́ться, P., to thrust against, to stick; to stare
у́тро, morning
утружда́ться, I., to trouble (exert) oneself
утю́г, flat-iron
уха́б, hole (in a road), rut, pit
уха́живать, I., to look after, to court
уходи́ть: ухожу́, ухо́дишь, -ят, I., to go away
учёба, learning, studies, study
учени́к, pupil
учени́ческий, -ая, -ое, -ие, adj., pupil's
учёный, scholar, scholarly
уче́сть: учту́, учтёшь, -ут; учёл, учла́, учли́, P., to take into consideration, to consider
учи́тель (m.), teacher
учи́тельница, teacher
учи́тельский, -ая, -ое, -ие, adj., teacher's
учи́ть: учу́, у́чишь, -ат, I., to teach, to learn
учи́ться: учу́сь, у́чишься, -атся, I., to study, to learn
учи́тывать, I., to take into consideration
учрежде́ние, institution; office
ушёл, ушла́, p. of уйти, P., to go away
у́ши, pl. of у́хо, ear
ую́тный, -ая, -ое, -ые, cosy, snug

Ф

факт, fact, reality
факти́чески, actually
фальши́вый, -ая, -ое, -ые, false, counterfeit
фами́лия, surname
фанта́зия, fantasy, illusion, fiction
фанта́стика, fantasy

фарфо́р, porcelain
фарфо́ровый, -ая, -ое, -ые, adj.,
porcelain
фая́нс, faience
фееро́ческий, -ая, -ое, -ие, fantastic,
magic, fairy-like
флирт, flirtation
флот, fleet
флоти́лия, flotilla, fleet
фо́кус, trick
фонта́н, fountain
фо́рма, form, shape, cast
форма́льность (f.), formality
формулиро́вка, formulation, statement
фо́то, photo
фо́тосни́мок, photograph, snapshot
фра́за, sentence, phrase
франк, frank (coin)
Фра́нция, France
фонд, funds, stock
фриво́льный, -ая, -ое, -ые, frivolous
фронт, front
фу, fie! (exclamation of disgust, dis-
pleasure)

X

хара́ктер, character, temper, tempera-
ment, disposition
хвали́ть, I., to praise
хвата́ть, I., to grasp, seize, grab
хвата́ть, I., хвати́ть, P., to be
sufficient; to suffice
хва́тит, enough; sufficient
не хва́тит, (won't be) is not
enough, insufficient
хвати́ться, P., to realize; хвати́-
лись, (3rd p.p.) to remember
suddenly
хва́тка, habit, manners; ways
хвост, tail; queue
хитре́ц, a cunning (sly) fellow
с хитрецо́й, slily, craftily
хитрю́га, foxy person, crafty man
хлеб, bread
хлебну́ть, P., to taste, sip; to have
a drop too much
хлопота́ть: хлопочу́, хлопо́чешь,
-ут, I., to be busy, to toil, to
bustle about, to solicit

хму́рый, -ая, -ое, -ые, somber,
morose, frowning
ход, motion, speed; course; move
на ходу́, on the go; while moving
ходи́ть: хожу́, хо́дишь, -ят, I., to
go, to attend; to walk about
ходо́к, hiker; runner; pedestrian
хозя́йничать, I., похозя́йничать, P.
to manage (a household) (a farm)
хозя́йственник, economist, manager
хозя́йственный, -ая, -ое, -ые, eco-
nomic, economical, thrifty
хозя́йственная су́мка, shopping
bag
хозя́йство, housekeeping, household
economy (rural economy)
хозя́йствовать: хозя́йствую, -ешь,
ют, I., to manage a household;
to farm; to make oneself at home
холоди́льник, ice-box
хорово́д, choral dance
хорошо́, well, good, nice
хоте́лось, 3rd p.p.; хо́чется, 3rd
p. pres. one would have liked,
one would like
хоте́ть: хочу́, хо́чешь, хо́чет,
хоти́м, хоти́те, хотя́т, I., to
wish, desire
хоть, although, though; to want;
even; at least; one might as well
хотя́, though, yet
хотя́ бы, at least, but, still, yet
хотя́ нет, but no
хра́брый, -ая, -ое, -ые, brave, courageous
храни́ть, I., to keep, preserve
хру́пкий, -ая, -ое, -ие, frail, delicate
худо́жественный, -ая, -ое, -ые, artistic
худо́жник, худо́жница, artist
ху́же, worse
хулига́н, hooligan, rowdy
хулига́нство, hooliganism

Ц

царе́вна, princess
цвет, color; flowering
цвети́стый, -ая, -ое, -ые, colorful
цвето́к, pl.: цветы́, flower

цвести́: цвету́, цветёшь, -ут; цвёл, цвела́, цвели́, I., to bloom, blossom, flower
целико́м, entirely, in (its) entirety
целова́ть: целу́ю, целу́ешь, -ют, I., to kiss
цель (f.), aim, purpose
це́лый, -ая, -ое, -ые, whole, entire
цена́, price, value
цени́ть, I., to value
це́нный, -ая, -ое, -ые, valuable, costly
центр, center

Ч

ча́душко, dim. of ча́до, child
чаёк, dim. of чай, tea
чайку́, gen. & dat.: чаёк
ча́йник, teapot
час, hour
ча́стный, -ая, -ое, -ые, private, exceptional
ча́сто, frequently, often
часть (f.), part, portion, share
часы́, clock, watch
ча́шка, cup
чего́, see что
чей, чья, чьё, чьи, whose
челове́к, man, person, human being
чем, than, rather than
  чем, в чём, see что
чепуха́, trifle, nonsense
черёд, turn, order
че́рез, across, at, after, in a, through; at the end of
черни́льница, inkwell
черёмуха, bird cherry
чёрт, devil (also: чорт)
  чёрт вас возьми, may the devil take you; counfound it
  чёрт зна́ет что, what a mess; devil only knows what . . .
че́стный, -ая, -ое, -ые, honest, straightforward
  че́стное сло́во, honestly; upon my word
честь (f.), honor
чёткий, -ая, -ое, -ие, clear cut
четы́ре, four
четы́рнадцать, fourteen
число́, number, date
чи́стенький, -ая, -ое, -ие, dim. of чи́стый, clean
чи́стить: чи́щу, чи́стишь, -ят, I., to clean, peel
чи́стый, clean, clear
чита́тель, читательница, reader
чо́каться, I., to clink glasses
чте́ние, reading
что: чего́, чему́, что, чем, о чём, what; that
  не́ о чём, about nothing
  что-то, something or other
  что ж, же, somehow, well now; why not
  что-нибу́дь, something, anything
  к чему́, what for
  за что, for what (reason)
  что с ним сде́лалось, what happened to him
  ни́ за что, not for anything
  ко́е-что, something or other
  а что, what about it; well now
чтоб, что́бы, that, so that, in order to
чу́вство, feeling, sentiment
чуде́сный, -ая, -ое, -ые, wonderful
чужо́й, -а́я, -о́е, -и́е, strange, stranger, outsider
чума́зый, -ая, -ое, -ые, grubby, untidy, dirty
чу́точку, a wee little bit
чу́ть, a little; almost; hardly
чутьё, intuition

Ш

шаг, step, pace
шагну́ть, P., to step
шампа́нское, champagne
швыря́ть, I., to toss
шевели́ться: шевелю́сь, -и́шься, -я́тся, I., to move, stir
шевелю́ра, head of hair, mop of hair
шеде́вр, masterpiece
шёл, шла, шли, past of идти́
шёлк, silk
  шёлковый, -ая, -ое, -ые, silk-y
шёпот, whisper
шесто́й, sixth
ше́я, neck
шик, chic, smartness
шипу́чка, fizz

широ́кий, -ая, -ое, -ие, wide, great wide (scope), broad
широко́, widely
шка́фчик, dim. of шка́ф, cupboard, bookcase
шнур, cord
шко́ла, school
шко́льник, pupil, schoolboy
шла, f. past: идти́
шля́па, hat
што́ра, blind
шум, noise
шуме́ть: шумлю́, шуми́шь, -я́т, I., to make noise, to make disturbance
шофёр, driver, chauffeur
шути́ть: шучу́, шу́тишь, -ят, I., to joke
шу́тка, joke
шутли́во, jokingly

Щ

ще́дро, lavishly, generously
ще́дрый, -ая, -ое, -ые, generous, lavish, liberal (minded), kindhearted
щека́, cheek
щётка, brush
щит, shield, screen

Э

Э! Эх! ah! eh! ah well!
экза́мен, examination, test
эконо́мно, economically, thriftily
экспанси́вный, -ая, -ое, -ые, extravagant; expansive
экспериме́нт, experiment
экспона́т, exhibit
экспони́рование, show, exhibition, presentation
экспони́ровать: экспони́рую, -ешь, -ют, I., to exhibit, to show; to present
эле́ктросва́рщик, electrician, welder
эле́ктрофици́рован-ный, electrified
электри́чество, electricity
электри́чка, electric train
э́ллин, Hellene; Greek
эпо́ха, epoch; period
эски́з, sketch
этаже́рка, whatnot; shelf
э́такий, э́такая, -ое, -ие, such; such a, such kind
э́ти; э́тих, э́тим, э́ти/э́тих, э́тими, об э́тих, these
э́то (э́тот), э́того, э́тому, э́то/э́того, э́тим, об э́том, э́та, э́той, э́той, э́ту, э́той, об э́той, this
эшело́н, echelon

Ю

юбиле́й, jubilee
юбиле́йный, -ая, -ое, -ые, adj., jubilee
ю́мор, humor
юн, юна́, ю́но, ю́ны, short form of ю́ный, young, youthful
ю́ноша (m.), youth

Я

я, меня́, мне, меня́, мной, обо мне, I, myself
явле́ние, phenomenon, happening
я́вно, obviously, clearly
ягнёнок, (dim.: ягнёночек), pl.; ягня́та, lamb
язы́к, tongue, language
я́ркость (f.), brightness, vividness, colorfulness
я́сно, clear-ly; it is clear
я́сный, -ая, -ое, -ые, я́сен, ясна́, я́сно, я́сны, clear, bright, distinct

BIBLIOGRAPHICAL NOTE

1. **Ба́бушкина Побе́да,** В. А́рдов: **Для Эстра́ды,** Госизд. ''Иску́сство'', Москва́, 1957.
2. **Встре́ча,** М. Усти́нов, Госизд. ''Иску́сство'', Москва́, 1956.
3. **Семна́дцатая Весна́,** Э. Рыжо́ва, И. Вое́йкова: **Одноа́ктные Пье́сы,** Изд. ВЦСПС, Москва́, 1959.
4. **Черёмуха в Цвету́,** Н. Пого́дин: **Одноа́ктные Пье́сы.** Репертуа́р Худо́жественной Самоде́ятельности, Госизд. Москва́, 1956.
5. **Слу́чай на Ста́нции,** Б. Иса́ев: **Одноа́ктные Пье́сы,** Профизда́т. Москва́, 1959.
6. **Навстре́чу Жи́зни,** А. Иро́шников, Изд. ВУОАП, Москва́, 1957.